KB055003

주한미군지위협정(SOFA)

한·미
합동위원회 5

주한미군지위협정(SOFA)

한 · 미 합동위원회 5

한국학술정보

| 머리말

미국은 오래전부터 우리나라 외교에 있어서 가장 긴밀하고 실질적인 우호 · 협력관계를 맺어 온 나라다. 6 · 25전쟁 정전 협정이 체결된 후 북한의 재침을 막기 위한 대책으로서 1953년 11월 한미 상호방위조약이 체결되었다. 이는 미군이 한국에 주둔하는 법적 근거였고, 그렇게 주둔하게 된 미군의 시설, 구역, 사업, 용역, 출입국, 통관과 관세, 재판권 등 포괄적인 법적 지위를 규정하는 것이 바로 주한미군지위협정(SOFA)이다. 그러나 이와 관련한 협상은 계속된 난항을 겪으며 한미 상호방위조약이 체결로부터 10년이 훌쩍 넘은 1967년이 돼서야 정식 발효에 이를 수 있었다. 그럼에도 당시 미군 범죄에 대한 한국의 재판권은 심한 제약을 받았으며, 1980년대 후반 민주화 운동과 함께 미군 범죄 문제가 사회적 이슈로 떠오르자 협정을 개정해야 한다는 목소리가 커지게 되었다. 이에 1991년 2월 주한미군지위협정 1차 개정이 진행되었고, 이후에도 여러 사건이 발생하며 2001년 4월 2차 개정이 진행되어 현재에 이르고 있다.

본 총서는 외교부에서 작성하여 최근 공개한 주한미군지위협정(SOFA) 관련 자료를 담고 있다. 1953년 한미 상호방위조약 체결 이후부터 1967년 발효가 이뤄지기까지의 자료와 더불어, 이후 한미 합동위원회을 비롯해 민 · 형사재판권, 시설, 노무, 교통 등 각 분과위원회의 회의록과 운영 자료, 한국인 고용인 문제와 관련한 자료, 기타 관련 분쟁 자료 등을 포함해 총 42권으로 구성되었다. 전체 분량은 약 2만 2천여 쪽에 이른다.

2024년 3월

한국학술정보(주)

| 일러두기

- 본 총서에 실린 자료는 2022년 4월과 2023년 4월에 각각 공개한 외교문서 4,827권, 76만여 쪽 가운데 일부를 발췌한 것이다.
- 각 권의 제목과 순서는 공개된 원본을 최대한 반영하였으나, 주제에 따라 일부는 적절히 변경하였다.
- 원본 자료는 A4 판형에 맞게 축소하거나 원본 비율을 유지한 채 A4 페이지 안에 삽입하였다. 또한 현재 시점에선 공개되지 않아 '공란'이란 표기만 있는 페이지 역시 그대로 실었다.
- 외교부가 공개한 문서 각 권의 첫 페이지에는 '정리 보존 문서 목록'이란 이름으로 기록물 종류, 일자, 명칭, 간단한 내용 등의 정보가 수록되어 있으며, 이를 기준으로 0001번부터 번호가 매겨져 있다. 이는 삭제하지 않고 총서에 그대로 수록하였다.
- 보고서 내용에 관한 더 자세한 정보가 필요하다면, 외교부가 온라인상에 제공하는 『대한민국 외교사료요약집』 1991년과 1992년 자료를 참조할 수 있다.

차례

정 리 보 존 문 서 목 록					
기록물종류	일반공문서철	등록번호	2012090413	등록일자	2012-09-13
분류번호	729.41	국가코드		보존기간	영구
명 칭	SOFA 한.미국 합동위원회. 제170차, 1991.12.11				
생 산 과	북미2과	생산년도	1991~1992	담당그룹	
내용목차	* 회의 사진 있음				

0001

공　　란

공 란

공　　　　　　란

공 란

공 란

공 란

공　　　란

공 란

공 란

공 란

공 란

공　　　란

공　　　　　란

공 란

공 

32850 기 안 용 지

분류기호 문서번호	미이 01225-	(전화 : 720-2324)	시 행 상 특별취급	
보존기간	영구.준영구. 10. 5. 3. 1.	장 관		
수 신 처 보존기간				
시행일자	1991. 7. 10.			

보조기관			협조기관		
	국 장	전결			문서통제 1991. 7. 10
	심의관				
	과 장				
가안책임자		김 인 철			발송인 발송 1991. 7. 1 외무부

경 유 수 신 참 조	수신처 참조	발신명의	
제 목	SOFA 책자 송부		

한.미 주둔군 지위협정 (SOFA) 91.2.1 개정본 책자를 별첨

송부하니 업무에 참고하시기 바랍니다. 끝.

첨 부 : 한.미 주둔군 지위협정 책자 1부

/ 계 속 /

0017

수신처 : 경제기획원 (물가조정국장), 재무부 장관(관세국장), 법무부 장관(법무실장, 검찰국장, 출입국 관리국장), 국방부장관(정책기획관, 시설국장), 상공부장관(통상진흥국장), 보건사회부장관(보건국장), 교통부장관(안전관리국장), 노동부장관(노정기획관), 체신부장관(전파관리국장), 국세청장(국제조세국장), 관세청장(심리 기획관), 국립식물 검역소장.

0018

비안 검인

법 무 부

체류 23630- 10271 503-7101 1991. 7. 12

수신 외무부장관

참조 미주국장

제목 SOFA 합동위원회 위원 및 출입국임시분과위원회 위원변경 통보

SOFA 합동위원회 위원 및 출입국임시분과위원회 위원이 아래와 같이 변경되었음을 통보합니다.

o 후임자 명단

위원장 출입국관리국장 김시평(KIM, SHI PYUNG)503-7010

위 원 출입국관리국 기록관리과장 정윤현(CHUNG, YOUN HYUN)503-7103

o 전임자 명단

위원장 김우진(KIM, WOO JIN)

위 원 최영철(CHOI, YOUNG CHUL).

법 무 부 장

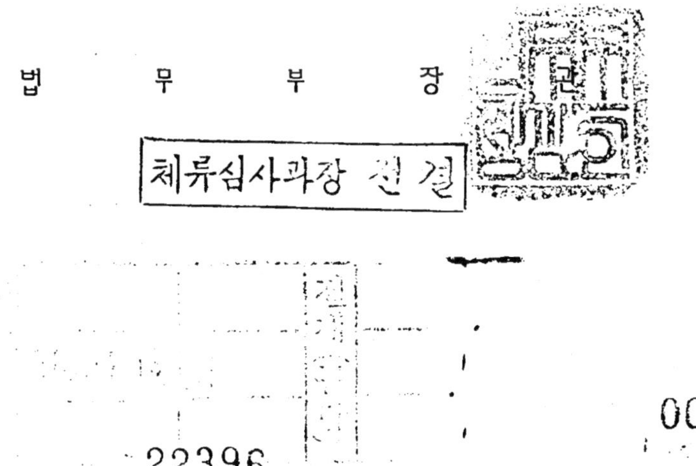

0019

법 무 부

송신 01600- 11261 503-7041 1991. 8. 2.

수신 외무부 장관

참조 미주국장

제목 SOFA합동위원회 위원변경 통보

'91.8.1부 정부인사발령에 따라 한.미 주둔군 지위협정(SOFA) 합동위원회교체대표 및 동위원회산하 민사청구권 분과위원회 위원장과 위원이 다음과 같이 변경되었음을 통보합니다.

" 다 음 "

위원회명	직 책	변 경 사 항	
		변 경 전	변 경 후
SOFA합동위원회	교체대표	법무부 법무실장 황길수	법무부 법무실장 정성진
SOFA합동위원회 산하 민사청구권 분과위원회	위원장	법무부 법무실장 황길수	법무부 법무실장 정성진
	위 원	법무부 법무실 법무과장 명노승	법무부 법무실 법무과장 정동욱

끝

1991 8. 02

법 무 부 장 관

8. 5.

25408

처리과

전제(공람)

0020

JOINT COMMITTEE
UNDER
THE REPUBLIC OF KOREA AND THE UNITED STATES
STATUS OF FORCES AGREEMENT

August 5, 1991

Mr. Lee Ho Jin
Republic of Korea Secretary
ROK-US Joint Committee
Ministry of Foreign Affairs
Seoul, Korea

Dear Mr. Lee:

I have the honor of informing you that the successor to Colonel Samuel J. Bole as the Alternate United States Representative to the ROK-US Joint Committee has arrived for duty at Yongsan. He is Colonel Peter U. Sutton, US Air Force. His biographical sketch is attached.

At a convenient time, I hope to arrange for a courtesy call with you.

Sincerely,

Carroll B. Hodges
CARROLL B. HODGES
United States SOFA Secretary

Enclosure

0021

COLONEL PETER U. SUTTON

Colonel Peter U. Sutton became Executive Officer to the Deputy Commander-in-Chief, UNC; and Deputy Commander, USFK, at Yongsan, Korea, and alternate U.S. representative to the US-ROK Joint Committee, 19 July 1991.

Colonel Sutton graduated from the U.S. Air Force Academy in 1972 with an undergraduate degree in Civil Engineering. Shortly thereafter, he completed a Masters Degree in Civil Engineering at the University of Illinois. In 1974, Colonel Sutton completed Undergraduate Pilot Training at Laughlin AFB, Texas, and proceeded to RF-4C upgrade training at Shaw AFB, South Carolina. Upon qualification in the RF-4C, Colonel Sutton was assigned to the 38th Tactical Reconnaissance Squadron (TRS), Zweibrucken Air Base, Germany (1974-1979). During this period, he served as an RF-4C aircraft commander, instructor pilot, and flight examiner.

In 1979, Colonel Sutton was reassigned to Headquarters United States Air Force in the Air Staff Training (ASTRA) program. While there, he served under the Deputy Chief of Staff, Operations, Plans, and Readiness (AF/XO). In 1980, Colonel Sutton was assigned as an Assistant Professor of Aerospace Studies, Air Force Reserve Officer Training Corps (AFROTC), University of Colorado, Boulder. In 1983, he returned to RF-4C flying duties with the 91TRS, Bergstrom AFB, Texas. While there, he became Aide to the Commander, Twelfth Air Force.

In 1985, Colonel Sutton attended the Air Command and Staff College, Maxwell AFB, Alabama. Upon graduation, he was assigned to instructor pilot duties at Vance AFB, Oklahoma, where he became the Operations Officer, 25th Flying Training Squadron (T-38); and later the Commander, 8th Flying Training Squadron (T-37). Upon completion of his commander duties in 1988, Colonel Sutton was assigned to the Pentagon in the Air Staff's Directorate of Programs and Evaluation. In 1990, Colonel Sutton was reassigned and attended the Industrial College of the Armed Forces (ICAF), Ft. McNair, Washington D.C.

Colonel Sutton is a graduate of Squadron Officer School, Air Command and Staff College, Air War College, and ICAF. He is a senior pilot with over 2500 flying hours. His military decorations include the Meritorious Service Medal with four oak leaf clusters, the Air Force Commendation Medal, the Air Force Achievement Medal, and the Combat Readiness Medal with one oak leaf cluster.

Colonel Sutton is married to the former Diane Obera of Walnut Creek, California. They have two children: Trevor and Kirsten.

0022

DEPARTMENT OF THE NAVY
COMMANDER
U.S. NAVAL FORCES, KOREA
APO SAN FRANCISCO 96301-0023

12 Aug 91

MEMORANDUM FOR SOFA SECRETARY

Subj: USNFK Deputy Representative

1. In accordance with USFK Regulation No. 10-10, Colonel C. A. DeLateur, USMC, CNFK Chief of Staff, has replaced Captain R. M. Werner, USN, as the USNFK representative to the US-ROK Joint Committee (SOFA), effective 12 July 1991.

2. Colonel DeLateur has served in the Republic of Korea as Marine Corps Liaison Officer to SUSLAK (July 1976 - January 1977), as Plans Officer, J-5, USFK (June 1980 - June 1983), and as Chief of Staff for Marine Corps Matters/Assistant Chief of Staff for Logistics (N4), CNFK (July 1990 - July 1991). Colonel DeLateur's phone number is 723-4891.

W W Mathis
W. W. MATHIS

0023

Dennis F. Coupe
Colonel, U.S. ARMY
Judge Advocate General's Corps

EDUCATION:

CIVILIAN: BA - SJSU, 1965 (DMG)
JD - University of California (Hastings), 1971

MILITARY: Infantry Officer Basic and Airborne, 1965

23d Advanced Class, The Judge Advocate General's School, U.S. Army, 1975

Military Judge Course, The Judge Advocate General's School, 1975

Staff Judge Advocate Course, The Judge Advocate General's School, U.S. Army, 1980 and 1991

Command and General Staff College, 1980

U.S. Army War College, 1988

ASSIGNMENT HIGHLIGHTS:

1966-1967	25th Infantry Division, Vietnam
1967-1968	Cdr, E Co., 3rd School Battalion, Ft. Eustis, VA
1972-1974	Chief Prosecutor, USASCH
1975-1979	Senior Instructor, The Judge Advocate General's School
1980-1983	Staff Judge Advocate (3rd Inf Div, DSJA; 2d AD Forward, ~~ASJA~~ (F.R.Germany)
1983-1987	Chief, Criminal Law Division, HQDA (OTJAG), Pentagon (Deputy, 83-85; Chief, 85-87)
1988-1991	Director, National Security Legal Issues, USAWC
Jul 1991 -	Judge Advocate, HQ, UNC/USFK/EUSA

AREAS OF PUBLICATION:

Criminal, Labor, Administrative, International, Claims, Operational Law and Standards of Conduct

AWARDS: Legion of Merit, Bronze Star, Meritorious Service Medal(3), Air Medal, Army Commendation Medal(2)

FAMILY: Spouse: Evelyn (Livvy)
Children: David, 25 and Jenny, 24

0024

공 란

공 란

공　　　란

2 3

법 무 부

체류23630- 14699 503-7101 91. 10. 15.

수신 외무부장관

참조 미주국장

제목 SOFA 합동위원회 출입국 임시분과위원회 위원변경 통보

SOFA 합동위원회 출입국임시분과위원회 위원이 우리부 조직개편 및 공무원 전보로 인하여 아래와 같이 변경되었음을 통보합니다.

ㅇ 후임자 명단

간 사	체류심사과장	박 성 복 (PARK, SUNG BOK)	503-7101
위 원	출입국기획과장	유 병 랑 (YU, BYONG RAHNG)	503-7095
위 원	출입국심사과장	정 윤 현 (CHUNG, YOUN HYUN)	503-7097

ㅇ 전임자 명단

간 사	유 병 랑 (YU, BYONG RAHNG)
위 원	구 창 덕 (KOO, CHANG DOK)

끝.

법 무 부 장 관

34610

0028

공 란

공 란

공 란

공 란

공 란

공 란

공 란

공　　　　란

공 란

기 안 용 지

분류기호 문서번호	미이 01225- 5644	(전화 : 720-2324)	시 행 상 특별취급	
보존기간	영구.준영구. 10. 5. 3. 1.	장 관		
수 신 처 보존기간				
시행일자	1991. 11.15.			

보조기관			협조기관		문서통제
	국 장	전 결			1991. 11. 16
	심의관				
	과 장				
기안책임자		조 준 혁			발 송 인

경 유 수 신 참 조	수신처 참조	발신명의		

제 목	SOFA 합동위원회 제170차 회의

1. 한.미 주둔군 지위협정(SOFA) 합동위원회 제170차 회의가 아래와 같이 개최될 예정임을 알려드립니다.

- 아 래 -

가. 일 시 : 1991. 12. 11(수) 16:00

나. 장 소 : 외무부 회의실 (810호)

/ 계 속 /

0038

2. 이와관련, 상기 합동위원회 각 위원께서는 참석하여 주시기 바라며, 소관 분과위원회별 협의 희망안건이 있으면 당부로 통보하여 주시기 바랍니다.

3. 또한 "SOFA 합동위원회 및 분과위원회 관계관 명단" 작성에 필요하니 해당 위원회별 위원 변경 내용도 당부로 조속 통보하여 주시기 바랍니다. 끝.

수신처 : 재무부장관(관세국장), 법무부장관(법무실장, 검찰국장, 출입국 관리국장), 국방부장관(정책기획관, 시설국장), 상공부장관(통상진흥국장), 노동부장관(노정국장), 교통부장관(안전관리국장), 관세청장(심리기획관)

0039

협조문용지

분류기호 문서번호	미이 01225-45	(전화 720-2324)	결재	담 당	과 장	심의관
시행일자	1991. 11. 20.					
수 신	총무과장	발 신	미주국장 (서명)			
제 목	청사 출입증 발급의뢰					

당국의 한.미 주둔군 지위협정(SOFA) 합동위원회 운영업무에 필요하니 아래 인사에 대한 청사 출입증을 발급하여 주시기 바랍니다.

- 아 래 -

1. 성 명 : Malcolm H. Perkins
2. SSN : 431-84-6583
3. 소속 : 주한미군 부사령관 특별 보좌관실 (SOFA) 합동위 간사실)
4. 직위 : SOFA 합동위 미측 부간사

첨 부 : 1. 청사출입증 발급신청서 1부.

2. 사진 1매. 끝.

0040

총무처 3004 3007
최○숙

공　란

노 동 부

우 427-010 경기도 과천시 중앙동 1 /전화 (02)504-7338 /전송 503-9771~2

문서번호 국제 32220-16802
시행일자 1991. 11. 22.

수 신 외무부장관
참 조 미주국장

선결			지시	
접수	일자 시간		결재·공람		
	번호				
처리과					
담당자					

제 목 SOFA 합동위원회 제 170차 회의

1. 미이 01225-56445 ('91.11.15) 관련임

2. SOFA 합동위원회 제 170차 회의 의제에 현재 합동위원회에 계류중인 주한 미군 노동조합의 노동쟁의 조정문제를 포함시켜 주시기 바랍니다.

3. 아울러 노무분과위원회의 위원 변경사항을 아래와 같이 통보합니다.

- 아 래 -

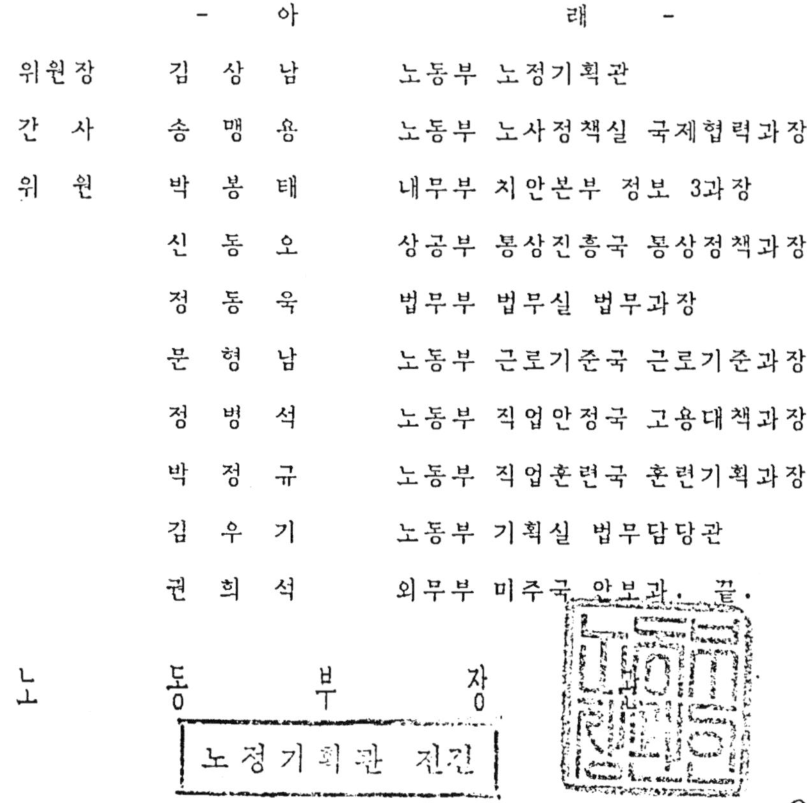

위원장	김 상 남	노동부 노정기획관
간 사	송 맹 용	노동부 노사정책실 국제협력과장
위 원	박 봉 태	내무부 치안본부 정보 3과장
	신 동 오	상공부 통상진흥국 통상정책과장
	정 동 욱	법무부 법무실 법무과장
	문 형 남	노동부 근로기준국 근로기준과장
	정 병 석	노동부 직업안정국 고용대책과장
	박 정 규	노동부 직업훈련국 훈련기획과장
	김 우 기	노동부 기획실 법무담당관
	권 희 석	외무부 미주국 안보과. 끝.

노 동 부 장

노정기획관 전결

0042

공 란

공 

공 란

공　　　란

공 란

공　란

공 란

공　　　란

공 란

공　　란

공 란

공　　　란

공 란

공　란

공　　　란

공　　　란

공 란

공　　　란

공　　　란

공　　　란

공 란

공 란

공 란

공 란

공 란

공 란

공　　　란

공 란

공 란

공 란

공 란

공 란

공　　　란

공 란

공 란

공 란

공 란

공　　란

공　　　　란

공 란

공 란

공　　　　란

공　　　　란

공 란

공 란

공　　　란

공 란

공 란

공 란

공 란

공 란

공　　　란

공 란

공 란

공　　　란

공 란

공 란

공 란

공　란

공 란

공 란

공　란

공　　　란

공 란

공 란

공　　　란

공 란

공 란

공 란

공 란

공　　　　란

공 란

공 란

공 란

공　　　란

공 란

공 란

공 란

공 란

공 란

공 란

공　　　란

공 란

공　란

공 란

공 란

공 란

공 란

공 란

공　　란

공 란

공 란

공 란

공 

공 란

공 란

공 란

공　　　란

공 란

공　　란

공 란

우 표

SOFA 합동위

제170차 회의 사진

(1991. 12. 11 수)

16:00

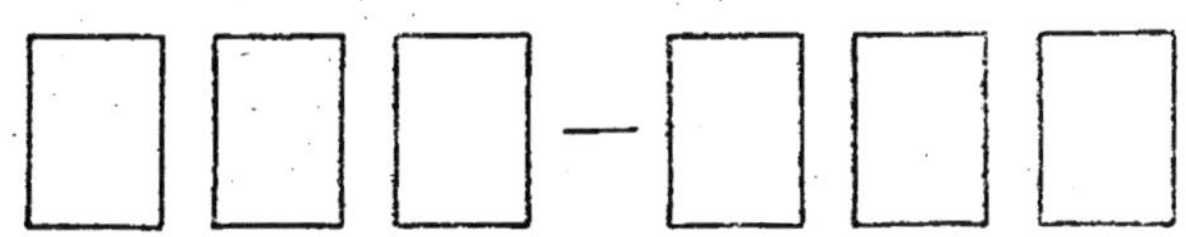

0144

0145

0145

0146

0146

공 란

공 란

공 란

공 란

공 란

공 란

공 란

공　　란

공 란

공　　란

공 란

공 란

공 란

공 란

공 란

공　　　란

공　　　란

공 란

공 란

공　　　　란

공 란

공 란

공 란

공 란

공　　　　란

공 란

공 란

공 란

공　　　란

공 란

공 란

공　　　란

공 란

공　　　란

공 란

공 란

공 란

공　　　란

공 란

공 란

공 란

공　　　란

공 란

공 란

공 란

공 란

공 란

공 란

공　란

공　　　　란

공 란

공 란

공 란

공　　란

공 란

공　　란

공　　란

공 란

공 란

공　　　란

공 란

공 란

공 란

공　　　　란

공 란

공　　　　란

공 란

공 란

공 란

공　　란

공　　란

공 란

공 란

공　　　란

공　　　　란

공 란

공 란

공 란

공　　란

공 란

공 란

공　　　란

공 란

공　　　　란

공 란

공 란

공　　　　란

공 란

공　　　　란

공 란

공 란

공 란

공 란

공　　　란

공 란

공　　　　　란

공 란

공 란

공 란

공 란

공 란

공 란

공 란

공 란

공 란

보 도 자 료

외 무 부

제 호 문의전화 : 720－2408～10 보도일시 : 1991. 12 11 17 00 시

제 목 : 한.미 주둔군지위협정(SOFA) 합동위원회 제170차 회의

한.미주둔군지위협정(SOFA) 합동위원회 제170차 회의가 1991. 12. 11.(수) 대한민국 서울 외무부 회의실에서 개최되었다. 동 회의는 상기 합동위원회 한국측 위원장인 반기문 외무부 미주국장이 주재하였으며 미측은 Ronald R. Fogleman 미측 위원장겸 주한미군 부사령관을 수석대표로 한 대표단이 참석하였다.

동 합동위원회는 주한미군 사용 부지에 관한 35개의 시설구역분과위원회 건의를 승인하였으며, 동 분과위원회에 28개의 새로운 과제를 부여하였다. 동 합동위원회는 SOFA 제15조에 의한 계약 수행을 위하여 11개 초청계약자를 지명하였으며, 주한미군과의 계약을 종료한 4개 초청계약자에 대하여 지명을 철회하였다.

다음번 합동위원회는 미측 위원장의 주재로 주한미군 영내에서 1992. 5. 15. (금) 개최될 예정이다.

- 끝 -

0252

JOINT US-ROK PRESS RELEASE

ONE HUNDRED SEVENTIETH US-ROK

JOINT COMMITTEE MEETING, 11 DECEMBER 1991

The 170th meeting of the US-ROK Joint Committee under the Status of Forces Agreement (SOFA) convened on 11 December 1991 in the conference room of the Ministry of Foreign Affairs, Seoul, Korea. The Republic of Korea Representative, Mr. BAN Ki Moon, Director General of the Ministry's American Affairs Bureau, presided at the meeting. The United States was represented by Lieutenant General Ronald R. Fogleman, who is also the Deputy Commander of USFK.

The Joint Committee approved 35 recommendations of its Facilities and Areas Subcommittee relating to various real estate matters and assigned 28 new tasks to the subcommittee. The Joint Committee designated eleven invited contractors for the performance of contracts according to Article XV of the SOFA, and it withdrew such designations for four invited contractors who had completed contracts with USFK.

The next Joint Committee is scheduled to be held on 15 May 1992 on the Yongsan Compound with the U.S. Representative presiding.

0253

조조

상 공 부

미이

427-760 경기 과천시 중앙동 1번지 / 전화(02)503 - 9445 / 전송(02)503 - 9496, 3142

문서번호 동정 20294 - 4395

시행일자 1991. 12. 11. (3년)

수신 외무부장관

참조

선결			지시		
접	일자 시간	91. 12. 12 :	결		
수	번호	41452	재		
처리과			공		
담당자			람		

제목 SOFA 합동위 상무분과 위원회 명단 통보

SOFA 합동위 상무분과 위원회 한국측 명단을 별첨과 같이 통보하니 귀업무에 참고하여 주시기 바랍니다.

첨부 : 표제명단 1부. 끝.

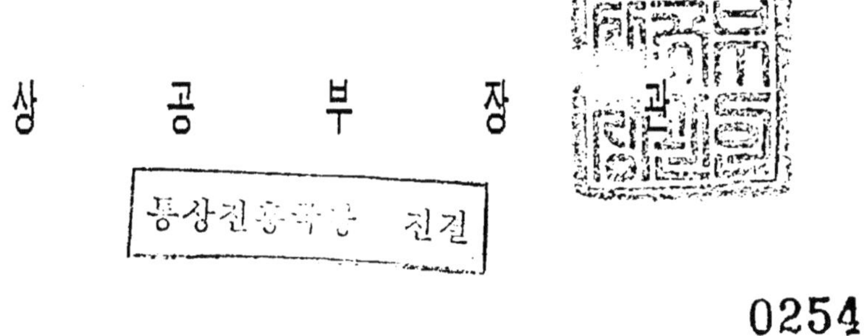

상 공 부 장 관

통상진흥국장 전결

0254

상무분과 위원회 - 한국측

위 원 장

장 석 환	상공부 통상진흥국장	503 - 9442

교체 위원장

노 장 우	상공부 통상협력국장	503 - 9443

간 사

신 동 오	상공부 통상정책과장	503 - 9444

부 간 사

심 성 근	상공부 통상진흥국 통상정책과	503 - 9445

위 원

예 계 해	경찰청 외사과 외사심의관	313 - 0848
신 동 규	재무부 세제국 국제조세과장	504 - 3676
구 창 덕	법무부 출입국관리국 출입국 심사과장	503 - 7095
김 광 식	상공부 상역국 무역정책과장	503 - 9432
이 성 재	상공부 상역국 수입과장	503 - 9440
김 원 배	노동부 노정국 노정과장	503 - 9730

0255

COMMERCE SUBCOMMITTEE-ROK COMPONENT

CHAIRMAN		TELEPHONE EXCHANGE
Mr. Chang Sokan	Director-General, Int'l Trade Promotion Bureau Ministry of Trade and Industry	503 - 9442
ALTERNATE CHAIRMAN		
Mr. Noh Jang Wooh	Director-General Trade Cooperation Bureau Ministry of Trade and Industry	503 - 9443
SECRETARY		
Mr. Shin Dong Oh	Director, Int'l Trade Policy Division Int'l Trade Promotion Bureau Ministry of Trade and Industry	503 - 9444
ASSISTANT SECRETARY		
Mr. Shim Soung Kun	Deputy Director Int'l Trade Policy Division Int'l Trade Promotion Bureau Ministry of Trade and Industry	503 - 9445
MEMBERS		
Mr. Yae Kye Hae	Foreign Affairs Counsellor Foreign Affairs Division National Police Administration	313 - 0848

0256

Mr. Shin Dong Kyu	Director, International Tax Division Tax Bureau Ministry of Finance	504 - 3676
Mr. Chung Youn Hyun	Director, Entry and Exit Bureau of Immigration Ministry of Justice	503 - 7095
Mr. Kim Gwang Shik	Director, Trade Policy Division Trade Bureau Ministry of Trade and Industry	503 - 9432
Mr. Lee Seong Jae	Director, Import Division Trade Bureau Ministry of Trade and Industry	503 - 9440
Mr. Kim Won Bae	Director, Labor Policy Division Bureau of Labor Policy Ministry of Labor	503 - 9730

0257

공 란

공 란

공 란

공 란

공 란

공 란

정 리 보 존 문 서 목 록					
기록물종류	일반공문서철	등록번호	32312	등록일자	2009-02-05
분류번호	729.41	국가코드		보존기간	영구
명 칭	SOFA 한.미국 합동위원회. 제171차. 1992.6.26				
생 산 과	북미2과	생산년도	1991~1992	담당그룹	
내용목차	1. 사전준비 2. 회의결과 3. SOFA 분과위원회 명단				

0001

공 란

공 란

공 란

공 란

공 란

공 란

공 란

공 란

공　　　　란

공　　란

공 란

공 란

공　　　란

공 란

공 란

공 란

공　　란

공　　　　란

공 란

공　　　　란

공 란

공 란

공　　란

공 란

공 란

공 란

공　　란

공 란

공　　　　란

공 란

공 란

공 란

공　　란

공 란

공　　란

공 란

공　　　　란

공 란

공　　　란

공　　　　　란

공　　　　란

공 란

외 무 부

110-760 서울 종로구 세종로 77번지 / (02) 720-2324 / FAX (02) 720-2686

문서번호 미이 ~~10220~~ 01225-59
시행일자 1992. 5. 26.
(경 유)
수 신 수신처 참조
참 조

취급		장 관
보존		
국 장	전 결	
심의관		
과 장		
담 당	조준혁	협조

제 목 SOFA 합동위원회 제171차 회의

연 : 미이 01225-54

1. 한.미 주둔군 지위협정(SOFA)합동위원회 제171차 회의가 아래와 같이 개최될 예정임을 통보하오니 귀부(처) 해당위원은 참석하여 주시기 바랍니다.

= 아 래 =

가. 일 시 : 1992. 6.26(금) 11:00 (회의후 오찬)

나. 장 소 : SOFA 회의실(용산 주한미군 영내)

2. 아울러 각 분과위원회(임시 분과위 포함) 위원장은 소관 분과위원회별로 상기 회의시 협의 희망안건을 6.15한 당부로 제출하여 주시기 바라며, 이 경우 각 분과위원회 관계관 명단(국.영문)도 함께 송부하여 주시기 바랍니다.

/계속/

0044

수신처 : 경제기획원장관(물가정책국장), 재무부장관(관세국장), 법무부장관
(법무실장, 검찰국장, 출입국관리국장), 국방부장관(정책기획관,
시설국장), 상공부장관(통상진흥국장), 노동부장관(노정국장),
교통부장관(안전관리국장), 관세청장(심리기획관), 보건사회부장관
(보건국장), 농림수산부장관(농산국장)

0045

공 란

공 란

공 란

공　　란

공　란

공 란

공　란

공 란

공　　란

공 란

공 란

공 란

공 란

공 란

공 란

공 란

공　　란

공 란

공 란

공 란

공 란

공 란

공 란

공 란

공 란

공 란

공 란

공 란

공 란

공 란

공　　　란

공 란

공 란

공 란

공　　　　　란

공 란

공 란

공 란

공 란

공 란

공 란

공 란

공 란

공　　　　란

공　　란

공 란

공 란

공 란

공　　　란

공 란

공 란

공 란

공　　　란

공 란

공 란

공 란

공 란

공 란

공 란

공 란

공　　　　란

공 란

공 란

공 란

공 란

공 란

공 란

공　　　란

공 란

공 란

공 란

공 란

공 란

공 란

공　　　란

공 란

공　　　란

공 란

공　　란

공 란

공 란

공 란

공　　　란

공 란

공　　란

공 란

공 란

공 란

공 란

공 란

공　　　란

공　　　란

공 란

공 란

공 란

공 란

공 란

공 란

공 란

공 란

공 란

공 란

공　　란

공 란

공　　　란

공 란

공 란

공 란

공 란

공　　　란

공 란

공 란

공 란

공 란

공 란

공 란

공　　란

공　　　란

공 란

공 란

공 란

공 란

공 란

공 란

공　　　란

공 란

공 란

공 란

공 란

공 란

공 란

공 란

공 란

공 란

공　　　란

공　　란

공 란

공 란

공　　　란

공 란

공　란

공 란

공　　란

공　　　　란

공 란

공 란

공　　란

공 란

공 란

공　　　란

공　　란

공　　　　란

공　　　란

공 란

공 란

공 란

공 란

공 란

공 란

공 란

공 란

공 란

공 란

공 란

공　　란

공 란

공 란

공 란

공 란

공 란

공 란

공 란

공　　란

2. 회의결과

0217

보 도 자 료

외 무 부

제 호 문의전화 : 720－2408～10 보도일시 : 92 6 26 : 시

제 목 :

한.미 주둔군지위협정(SOFA) 합동위원회 제171차 회의

1. 한.미 주둔군지위협정(SOFA) 합동위원회 제171차 회의가 1992. 6. 26. (금) 주한미군 영내(용산) SOFA 회의실에서 개최되었다. 동 회의는 상기 합동위원회 한국측 위원장인 정태익 외무부 미주국장과 미측 위원장인 Ronald R. Fogleman 주한미군 부사령관(공군 중장)이 공동 주재하였다.

2. 동 합동위원회는 주한미군 사용 부지에 관한 32개의 시설구역분과 위원회 건의를 승인하였으며, 동 분과위원회에 35개의 신규 과제를 부여하였다. 또한 동 합동위원회는 SOFA 제15조에 의한 계약 이행을 위하여 9개의 초청계약자를 신규로 지정하였으며, 주한미군과의 계약을 종료한 4개의 초청계약자에 대하여 지명을 철회하였다.

3. 동 합동위원회는 또한 개별적 노무 관련 사안을 처리하기 위한 특별 위원회 운영 규정을 승인하였으며, 주한미군부대 한국인근로자노조 (KEU)의 노동쟁의 문제를 해결하기 위하여 노사간 대화와 전향적인 의견 교환을 계속 해나가기로 하였으며, SOFA에 따른 절차를 통하여서도 계속적으로 해결책을 모색키로 하였다.

4. 차기 합동위원회 회의는 1992. 10. 23 (금) 외무부 회의실에서 개최될 예정이다.

- 끝 -

0218

공 란

공 란

공 란

공　　　란

공 란

공 란

공　　란

공 란

공 란

공 란

공 란

공 란

공 란

공 란

공 란

공 란

공 란

공　　　란

공 란

공 란

공 란

공 란

공 란

공 란

공 란

공 란

공 란

공　　란

공　　　란

공 란

공 란

공 란

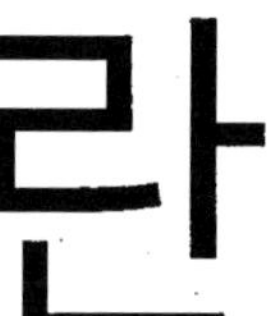

공 란

공 란

공 란

공 란

공　　　란

공 란

공　　　란

공 란

공 란

공　　　　　란

공 란

공 란

공 란

공 란

공 란

공 란

공　　　　란

공 란

공 란

공　　　　란

공 란

공 란

공 란

공　　　란

공 란

공 란

공 란

공 란

공 란

3. SOFA 분과위원회 명단

0280

32

— 상공부에 내용 수정, 시정조치

상 공 부

427-760 경기 과천시 중앙동 1번지 / 전화(02)503 - 9445 / 전송(02)503 - 9496, 3142

문서번호 통정 01225 - 279

시행일자 1992. 6. 9.(1 년)

수신 외무부장관

참조 미주국장

선결			지시		
접수	일자 시간	92. 6. 11	결재·공람		
	번호	20968			
처 리 과					
담 당 자					

제목 SOFA 상무분과위원회 우리측 위원 명단 통보

1. 미이 01225 -59 ('92.5.26) 관련임.

2. 위호와 관련, '92.5.15일자로 변경된 SOFA 상무분과위원회 우리측 위원 명단을 별첨과 같이 통보합니다.

3. 아울러, SOFA 합동위원회 171차회의 협의 희망 안건은 미측에서 제안 통보키로 하였음을 알려드립니다.

별첨 : SOFA 상무분과위원회 우리측 위원 명단 (국문 및 영문) 1부. 끝.

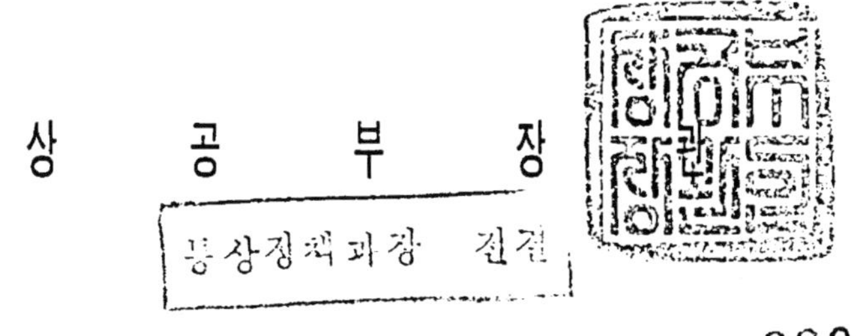

0281

SOFA 상무분과위원회 위원명단 - 한국측

위원장		전화번호
~~신동오~~ 박 동기	상공부 통상진흥국 통상정책과장	503-9444
교체위원장		
장지종	상공부 통상협력국 통상협력과장	504-0105
간　사		
심성근	상공부 통상진흥국 통상정책과 사무관	503-9445
부간사		
박관규	상공부 통상진흥국 통상정책과 주사	503-9445
위　원		
예계해	~~내무부 치안본부 외사부장~~ 경찰청 외사심의관	313-0848 (313-0842)
박용만	재무부 세제국 국제조세과장	503-9288
유병랑	법무부 출입국관리국 기획과장	503-7095
김광식	상공부 상역국 무역정책과장	503-9432
이성재	상공부 상역국 수입과장	503-9440
송맹용	상공부 노정국 국제협력과장	504-7338
~~[illegible]~~ 김[illegible]현	외무부 미주국 북미2과 사무관	720-2324

0282

CHAIRMAN		TELEPHONE NUMBERS
Mr. ~~Shin, Dong Oh~~ PARK, Young Ki	Dir~~ector~~., Int'l Trade Policy Div~~ision~~. Int'l Trade Promotion Bureau Ministry of Trade and Industry	503-9444
ALTERNATE CHAIRMAN Mr. Jang, Ji Jong	Dir~~ector~~., Trade Cooperation Division Trade Cooperation Bureau Ministry of Trade and Industry	504-0105
SECRETARY Mr. Shim, Soung Kun	Deputy. Dir~~ector~~., Int'l Trade Policy Div~~ision~~. Int'l Trade Promotion Bureau Ministry of Trade and Industry	503-9445
ASSISTANT SECRETARY Mr. Park, Kwan Kyu	Ass~~istar~~t. Dir~~ector~~., Int'l Trade Policy Div~~ision~~. Int'l Trade Promotion Bureau Ministry of Trade and Industry	503-9445
MEMBERS Mr. Yae, Kye Hae	Superintendent General, Foreign Affairs Bureau, Korean National Police Hqs, ~~Ministry of Home Affairs~~	313-0848
Mr. Park, Yong Man	Director, Int'l Tax Division, Tax Bureau, Ministry of Finance	503-9288
Mr. Yu, Bynng Rhang	Director, Immigrating Planning Div~~ision~~. Bureau of Immigration Ministry of Justice	503-7095
Mr. Kim, Gwang Shik	Director, Trade Policy Division Trade Bureau Ministry of Trade and Industry	503-7095
Mr. Lee, Seong Jae	Director, Immigrating Division Trade Bureau Ministry of Trade and Industry	503-9440
Mr. Song, Meng Yong	Director, Int~~ernationa~~'l Cooperation Div~~ision~~. Trade Bureau Ministry of Trade and Industry	504-7338
Mr. ~~Lee, Ho Jin~~ CHO, June Hyuck	North-America Divison II American Affairs Bureau Ministry of Foreign Affairs	720-2324/2239

CH

0283

SOFA 식물검역 임시분과위원회 - 한국측

위 원 장		전화번호
박 병 원	농 림 수 산 부　식물방역과장	(02) 503-7255
교체위원장		
김 병 기	국립식물검역소　국제검역정보과장	(0343) 45-1223
간　　사		
김 희 열	국립식물검역소　국제검역정보과 제1주무	(0343) 46-1926
위　　원		
이 상 필	농 림 수 산 부　식물방역과 검역주무	(02) 503-7255
백 종 호	국립식물검역소　조사연구과 곤충주무	(0343) 45-1225
여 인 홍	국립식물검역소　검역과 수입주무	(0343) 49-0524
양 규 만	국립식물검역소　국제검역정보과	(0343) 46-1926
김 진 성	국립식물검역소　국제검역정보과	(0343) 46-1926
심 성 섭	국립식물검역소　인천지소장	(032) 72-1540
조 준 혁	외　무　부　미주국 북미2과	(02) 720-2324 720-2239

0284

2

법 무 부

검이 23129-1023 503-7053 1992. 6. 10.

수신 외무부장관

참조 미주국장

제목 형사재판권 분과위원회 관계관 명단 통보

1. 미이01225-59 (92.5.26)호와 관련입니다.

2. 당부 형사재판권 분과위원회 관계관 명단을 별첨과 같이 통보합니다.

첨부 형사재판권 분과위원회 관계관 명단 1부 . 끝.

법 무 부 장 관

선 결			결재(공람)		
접수일시	1992. 6. 11	번호 0969			
처리과					

0285

SOFA형사재판권 분과위원회 명단

성 명	직	위	비 고	전화번호
김 진 환 (Kim Jin Hwan)	위원장	법부부 검찰국 검찰제2과장	교체대표	503-7051
소 병 철 (So Byung Chul)	간 사	법무부 검찰국 검찰2과 검사	간 사	503-7052
양 재 택 (Yang Jae Tack)	위 원	법무부 검찰국 검찰1과 검사	위 원	503-7050
지 성 우 (Jee Seong Woo)	"	경찰청 형사국 형사과장	"	313-0741
김 병 준 (Kim Byung Joon)	"	경찰청보안국외사 심의관실외사2과장	"	313-0847
김 용 진 (Kim Young Jin)	"	경찰청 방범국 방범기획과장	"	313-0701
이 순 길 (Lee Soon Gil)	"	법무부 교정국 교정과장	"	503-7078
박 선 기 (Rark Seon Ki)	"	국방부법무관리실 법무과장	"	795-6246
정 운 기 (Chung Woon Ki)	"	관세청심리기획관실 심리담당관	"	512-2321
조 준 혁 (Cho June Hyuck)	"	외무부북미2과 사무관	"	730-2324

0286

3

법 무 부

우 427-760 (경기 과천시 중앙동 1번지) / 전화 (02) 503-7041

문서번호 송심 01225-336
시행일자 1992. 6 . 11 .

수 신 외무부장관
참 조 미주국장

선결			지시		
접수	일자 시간	92. 6. 15 :	결재·공람		
	번호	21490			
처리과					
담당자					

제 목 : SOFA 민사청구권분과위원회 관계관명단 송부

1. 귀부 미이 01225-59(92.5.26)호와 관련입니다.

2. 금번, 한.미주둔군 지위협정운영체제 개선에 따라 SOFA 합동위원회 산하 민사청구권분과위원회 위원장 및 위원을 별첨과 같이 재조정하여 그 명단을 송부합니다.

첨부 : 민사청구권분과위원회 명단 1부. 끝.

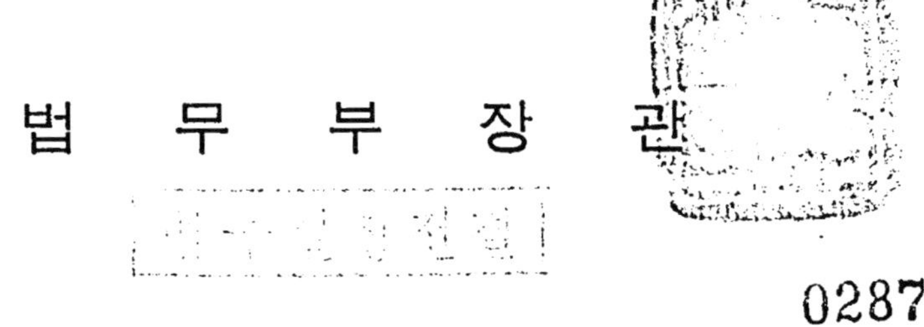

0287

민사청구권분과위원회 명단 - 한국측 -

성　　명	직　　위		전화번호
신 광 옥 (Shin, Kwang-Ok)	위원장	법무부 법무실 송무심의관	503-7040
차 유 경 (Cha, You-Kyung)	간 사	법무부 법무실 송무심의관실, 검사	503-7039
고 석 창 (Koo, Seog-Chang)	위 원	법무부 법무실 법무과, 검찰사무관	503-7031
김 승 기 (Kim, Seung-Ki)	"	국방부 시설국 관재과장	795-6331
서 영 덕 (Sea, Yüng-Duck)	"	국방부 법무과 법무관(소령)	795-6246
박 동 식 (Park, Dong-Shik)	"	재무부 국고국 국유재산과 행정사무관	503-9239
지 두 환 (Chi, Doo-Hwan)	"	법무부 법무실 송무심의관실 검찰사무관	503-7041
~~조 준 혁 (Cho, June-Hyuck)~~	"	외무부 미주국 북미 2 과 외무사무관	720-2324
심 상 근 (Shim, Soung-Kun)	"	상공부 통산진흥국 통상정책과 행정사무관	503-9445

0288

대표자(성)

CIVIL JURISDICTION (CLAIMS) SUBCOMMITTEE-ROK COMPONENT

CHAIRMAN	Mr. Shin Kwang Ok	Deputy Director General for Litigation [illegible]fice of Litigation [illegible]fice of Legal Affairs Ministry of Justice	503-7040
SECRETARY	Mr. Cha You Kyung	Prosecutor Office of Litigation Office of Legal Affairs Ministry of Justice	503-7039
MEMBERS	[illegible]od Seog Chang	Legal Affairs Division Office of Legal Affairs Ministry of Justice	503-703[illegible]
"	Mr. Kim Seung Ki	Real Estate Division Bureau of Installations Ministry of National Defense	795-6331
"	Mr. Sea Yang Duck	Judge Advocate Office of Legal Affairs Ministry of National Defense	796-0246
"	Mr. Park Dong shik	Government Properties Division Bureau of Treasury Ministry of Finance	503-9239
"	Mr. Chi Doo Hwan	Office of Litigation Office of Legal Affairs Ministry of Justice	503-7041
"	~~Mr. Cho Jung hyuck~~ PARK Jae young		720-232[illegible]
"	Mr. Shin Soung Kun	Division of Trade Policy Bureau of Int'l Trade Promotion Ministry of Trade and Industry	503-9445

2-2

0289

노　　　동　　　부

우 427-760 경기도 과천시 중앙동 1 ／전화 (02)504-7338 ／FAX 503-9771～2

문서번호 국제 32220- 7214
시행일자 1992. 6. 12. (　　)

수신 외무부장관
참조 미주국장

선결			지시		
접수	일자 시간	92.6.15	결재·공람		
	번호	21488			
처리과					
담당자					

제목　SOFA 합동위원회 제 171차 회의

1. 미이 01225-54 ('92. 5.26.) 관련입니다.

2. SOFA 합동위원회 제 170차 회의의제에 현재 합동위원회에 계류중인 주한미군 노동조합의 노동쟁의조정 문제를 포함시켜 주시기 바라며

3. 아울러 노무분과위원회 관계관 명단을 아래와 같이 통보합니다.

- 아　　　　래 -

위원장 송 맹 용 (Song Meng-yong) 노동부 노사정책실 국제협력과장
간사 문기섭 〃 〃 〃 과
위 원 박 봉 태 (Park Bong-tae) 경찰청 정보 3과장
정 동 욱 (Chung Dong-wook) 법무부 법무실 법무과장
신 동 오 (Shin Dong-oh) 상공부 통상진흥국 통상정책과장
고 인 래 (Ko In-nae) 노동부 기획관리실 법무담당관
문 형 남 (Moon Hyung-nam) 노동부 근로기준국 근로기준과장
정 병 석 (Chung Byung-suk) 노동부 직업안정국 고용정책과장
서 만 식 (Seo Man-syck) 노동부 직업훈련국 훈련기획과장
조준혁 (CHO, June-Hyuck) 외무부 미주국 북미2과. 끝.

노　동　부　장　[관인]

노정기획관 전결

0290

수신 : 북미 2과 조준혁 사무관님 (FAX : 722-8205)

발신 노동부 국제협력과

제목 노무분과위원회 관계관 명단

위원장	송 명 용	Director, International Cooperation Division, Office of Industrial Relations Policy, Ministry of Labour
위 원	박 봉 태	Chief, 3th Intelligence Divisions Nat'l Poice Administration
	정 동 욱	Director, Regal Affairs Division, Office of Legal Affairs, Ministry of Justice
	신 동 오	Director, Int'l Trade Policy Division, Int'l Trade Promotion Bureau, Ministry of Trade and Industry.
	고 인 래	Legal Affairs Officer, Office of Planning and Management, Ministry of Labour
	문 형 남	Director, Labour Standards Division, Labour Standards Bureau, Ministry of Labour.
	정 병 석	Director, Employment Policy Division, Employment Security Bureau, Ministry of Labour.
	사 만 식	Director, Training Policy Division, Vocational Training Bureau, Ministry of Labour
		외무부 미주국 북미 2과
		Los-America Division II, America Affairs Bureau, Ministry of Foreign Affairs.
간 사	문 기 섭 (Moon Ki-Seop)	Deputy-Director, Int'l Cooperation Division, Office of Industrial Relations Policy, Ministry of Labour.

0291

ECEIVED FROM 1988.06.06 01:02

2

교 통 부

우100-162 서울 중구 봉래동2가 122 / 전화 (02) 392-1604 / 전송(02)392-9809

문서번호 차량 01225-288

시행일자 1992. 6. ( )

(경 유)

수 신 외무부장관

참 조

선결			지시		
접수	일자 시간	92. 6. 19 :	결재·공람		
	번호	21903			
처리과					
담당자					

제 목 위원 명단 송부

1. 미이 01225-59 ('92.5.26)의 관련입니다.

2. SOFA 운영의 활성화를 위해 재편성한 교통분과위원회 위원 명단을 별첨과 같이 송부합니다.

첨부 SOFA 교통분과위원회 위원 명단 (국.영문) 각 1부. 끝.

교 통 부 장 관

0292

SOFA 교통분과위원회 (한국측)

위 원 장

박 영 삼	교통부 안전관리국 차량과장	392 - 9707

교체위원장

정 일 영	교통부 항 공 국 항공정책과장	392 - 9505

간 사

변 창 언	교통부 안전관리국 차 량 과	392 - 9707

위 원

박 무 익	교통부 수송정책국 해운정책과	392 - 6213
이 상 업	교통부 수 로 국 측 량 과	(032) 885-3824
신 진 우	교통부 서울지방항공청 총무 ~~관리~~과	662 - 0217
홍 부 식	경찰청 교통지도국 교통안전과	313 - 0672
이 우 영	철도청 운 수 국 화물과	392 - 1325
이희관(중령)	육군본부 군수참모부 수송과	505 - 4221
신동옥(중령)	해군본부 군수참모부 수송처	810 - 3129
조종호(중령)	공군본부 군수참모부 수송처	506 - 4270
조 준 혁	외무부 미주국 북미2과	720 - 2324

0293

TRANSPORTATION SUBCOMMITTEE-ROK COMPONENT

CHAIRMAN		TELEPHONE EXCHANGE
Mr. PARK, Young Sam	Director, Vehicle Policy Divesion Bureau of Safety Management Ministry of transportation	392 - 9707
ALTERNATE CHAIRMAN		
Mr, CHUNG, Il young	Director Aviation Policy Division Civil Aviation Bureau Ministry of Transportation	392 - 9505
SECRETARY		
Mr, BYUN, Chang Aun	Vice Director, Vehicle Policy Division Bureau of Safety Management Ministry of Transportation	392 - 9707
MEMBERS		
Mr, PARK, Moo ik	Vice Director, Maritime Policy Division Transport Policy Orrice Ministry of Transportation	392 - 6213
Mr, LEE, Sang Up	Deputy Director, Survey Division Bureau of Hydrography Ministry of Transpotrtation	(032)885-3824
Mr, SHIN Jin Woo	Vice Director, Administrative Division Seoul Regional Aviation Vureau Ministry of Transportation	662 - 0217
Mr. Hong, Bu Sik	Director, Transportation Division Department II National Police Headguarters Ministry of Home Affairs	313 - 0672
Mr, LEE, Woo Young	Vice Director, Freight Division Bureau of Transportation Office of Korean National Railroads	392 - 1325
LT, COL Lee, Hi Kwan	Transpotration Planning Officer Transportation Division, G - 4 Fok Army Heedguarters	505 - 4221
LT, COL SHIN Dong Ok	Chief of Planning Operating Orrice D Rransportation Division Dcno For Logistics Rok Navy Headquarters	810 - 3129
LT, COL CHO, Jong Ho	Office of Transportation Bureau of Logistics Fok Air Force Headguarters	506 - 4270
Mr, CHO, June Hyuck	~~National Security Division~~ North America div. II. American Affairs Bureau Ministry of Foreign Affairs	720-2324/2239

0294

2

국 방 부

우) 140-023 서울 용산구 용산동3가 1번지 / 전화 (795-6331) / 전송 (796-0369)

문서번호 : 관재 01225-624
시행일자 : '92. 6 .17
(경유)
수 신 : 외무부장관
참 조 : 미주국장

선결			지시		
접수	일자 시간	92.6.19	결재 공람		
	번호	22320			
처리과					
담당자					

제 목 : SOFA 운영개선 관련 회신

1. 외무부 미이 01225-59 (92.5.26) 및 미이 01225-68(92.6.10)의 관련입니다.

2. SOFA 합동위원회 위원중 국방부 개편 위원 및 합동위원회 산하 시설구역 분과위원회 위원은 아래와 같이 변경되었습니다.

가. SOFA 합동위원회 위원

. 국방부 시설국 관재과장 서기관 노 양 우 (Rho, Yang Woo)

. 국방부 정책기획관실 대미 정책과장 대령 신 일 순 (Shin, IL Soon)

나. 시설구역분과위원회 위원

. 위원장 : 노 양 우 (Rho, Yang Woo)
국방부 시설국 관재과장 795-6331, 723-6227(용산)

. 간 사(교체위원) : 김 승 기 (Kim, Seung Ki)
국방부 시설국 행협담당 795-6331, 723-6227(용산)

. 위 원

조 준 혁 (Cho, ~~Jun Hyuk~~ June Hyuck) 외무부 ~~안보과 행협담당~~ 미주국 북미2과 720-2324

천 용 (Chun, Yong) 재무부 국유재산담당 503-9340

맨 밑으로 지 두 환 (Chi, Doo Hwan) 법무부 송무심의관실 검찰사무관 503-7041

2 - 1

0295

이 욱 중 (Lee, Wook Jung) 건설부 도로관리담당 503-7386

신 진 우 (Shin, Jin Woo) 교통부 서울지방 항공청
총무과장 662-0883

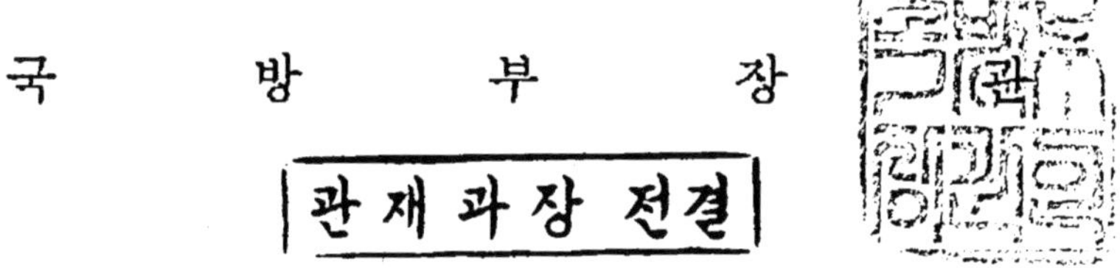

국 방 부 장

관재과장 전결

2-2

0296

US - ROK JOINT COMMITTEE - ROK COMPONENT

COMMITTEE POSITION	DUTY TITLE / POSITION	
ROK REPRESENTATIVE Dir. Gen. CHUNG Tae Ik	Director General American Affairs Bureau Ministry of Foreign Affairs	
ALTERNATE REPRESENTATIVE Mr. YU Myung Hwan	Deputy Director General American Affairs Bureau Ministry of Foreign Affairs	
DEPUTY REPRESENTATIVES Mr. PARK Dong Shik (Utilities) Mr. KANG Suk In (Finance) Mr. KIM Jin Hwan (Criminal Jurisdiction) Mr. SHIN Kwang Ok (Claims) COL SHIN Il Soon Mr. ROH Yang Woo (FASC) Mr. SHIN Dong Oh (Commerce) Mr. KIM Jin youl (Transportation) Mr. SONG Meng Yong (Labor)	Dir., Public Utility & Price Div. Economic Planning Board Director, Customs Cooperation Div. Ministry of Finance Director, Second Prosecution Div. Ministry of Justice Dpty DirGen for Litigation Ministry of Justice Director, US Policy Division Ministry of Nationa Defense Direcotr, Real Estate Division Ministry of National Defense Director, Int'l Trade Policy Div. Ministry of Trade and·Industry Director, Vehicle Policy Division Ministry of Transportation Director, Int'l Cooperation Div. Ministry of Labor	
ROK SECRETARIAT Mr. LEE Ho Jin Mr. CHO June Hyuck	Director, North American Div II Ministry of Foreign Affairs Asst. SOFA Secretary, N. American Div II Ministry of Foreign Affairs	

0297

2

관　　　세　　　청

우 135-702 서울 강남구 논현동 71　　/ 전화 (02)512-1123　　/ 전송 512-0123

문서번호 심리이22760 - 229
시행일자 1992. 6.
(경유)
수신 외무부장관
참조 미주국장

선결			지시		
접수	일자 시간	1992. 6. 11 :	결재·공람		
	번호	21905			
처리과					
담당자					

제목 면세물품 불법거래 임시분과위원회 명단 송부

1. 미이 01225-59(92.5.26)호와 관련입니다.

2. 면세물품 불법거래 임시분과위원회 한국측 관계관 명단을 별첨과 같이 송부합니다.

첨부 : 면세물품 불법거래 임시분과위원회 한국측 관계관명단 1부. 끝.

관　　　세　　　청

0298

면세물품 불법거래 임시분과위원회 관계관 명단

성 명	소 속	전화번호
위원장 안 치 성 Mr. Ahn Chi Sung	관세청 심리기획관실 정보담당관 Director, Intelligence Division. Investigation Bureau Korean Customs Adminstration	512 - 1123
간사 윤 헌 Mr. Yun Heon	관세청 심리기획관실 정보담당관실 Deputy Director, Intelligence Division. Investigation Bureau Korean Customs Adminstration	512 - 1123
위원 강 석 인 Mr. Kang Suk In	재무부 관세국 관세협력과장 Director, Customs Cooperation Division. Bureau of Customs Ministry of Finance	503 - 9296
위원 김 진 환 Mr. Kim Jin Whan	법무부 검찰국 검찰 제 2과장 Director, Prosecution Division II Bureau of Prosecution Ministry of Justice	503 - 7051
위원 김 익 만 Mr. Kim Ik Man	상공부 산업정책국 유통산업과장 Director, Domestic Market & Promotion Division. Ministry of Trade and Industry	503 - 9456
위원 지 성 우 Mr. Jee Seong Woo	경찰청 형사국 형사과장 Director, Criminal Investigation Division. Criminal Investigation Bureau Korean Police Adminstration	313 - 0741
Mr PARK Jae Young	North America	720-2324

0299

재 무 부

우 427-760 경기도 과천시 중앙동 1 / 전화 503-9296 / 전송 503-9324

선결			지시		
접	일자 시간		결		
수	번호		재		
처리과			공		
담당자			람		

문서번호 관협 22710-

시행일자 '92. 6.

수신 외무부장관

참조 미주국장

제목 SOFA 재무분과위 위원명단 제출

1. 외무부 미이 01225-54 ('92.5.22. 한미주둔군 지위협정 운영체제 개선) 관련입니다.

2. SOFA 재무분과위 한국측 위원명단을 별첨과 같이 제출합니다.

첨부 : 위원 명단 (국·영문) 1부. 끝.

재 무 부 장

관세협력과장 전결

0300

TRANSPORTATION SUBCOMMITTEE-ROK COMPONENT

CHAIRMAN		TELEPHONE EXCHANGE
Mr. PARK Young Sam	Director, Vehicle Policy Division Bureau of Safety Management Ministry of transportation	392-9707
ALTERNATE CHAIRMAN		
Mr. CHUNG Il Young	Director, Aviation Policy Division Civil Aviation Bureau Ministry of Transportation	392-9505
SECRETARY		
Mr. BYUN Chang Aun	Vice Director, Vehicle Policy Division Bureau of Safety Management Ministry of Transportation	392-9707
MEMBERS		
Mr. PARK Moo Ik	Vice Director, Maritime Policy Division Transport Policy Office Ministry of Transportation	392-6213
Mr. LEE Sang Up	Deputy Director, Survey Division Bureau of Hydrography Ministry of Transpotrtation	(032)885-3824
Mr. SHIN Jin Woo	Vice Director, Aministrative Division Seoul Regional Aviation Bureau Ministry of Transportation	662-0217
Mr. HONG Bu Sik	Director, Transportation Division ~~Department II~~ National Police ~~Headquarters~~ Agency ~~Ministry of Home Affairs~~	313-0672
Mr. LEE Woo Young	Vice Director, Freight Division Bureau of Transportation Office of Korean National Railroads	392-1325
LT. COL LEE Hi Kwan	Transpotration Planning Officer Transportation Division, G-4 Rok Army Headquarters	505-4221
LT. COL SHIN Dong Ok	Chief of Planning Operating Office of Transportation Division for Logistics Rok Navy Headquarters	810-3129
LT. COL CHO Jong Ho	Office of Transportation Bureau of Logistics Rok Air Force Headquarters	506-4270
Mr. ~~CHO June Hyuck~~ PARK Jae Young	North America Div. II American Affairs Bureau Ministry of Foreign Affairs	720-2324 720-2239

0301

법　　　무　　　부

우 : 427-760　경기 과천 중앙 1　전화 : (02) 503-7102　전송 : (02) 502-5726

문서번호　체류 23630- 387
시행일자　1992. 6. 18.(보존 : 1년)
경유)
수신　외무부장관
참조　아주국장

선결			지시		
접수	일자 시간	92.6.19	결재·공람		
	번호	22272			
처리과					
담당자					

제목　출입국 임시분과위원회 위원명단 통보

1. 미이01225-59(92.5.26)에 의거 변경된 출입국 임시분과위원회 한국측 위원 명단을 붙임과 같이 알려드립니다.

붙임 : 출입국 임시분과위원회 명단 (영문포함)1부. 끝.

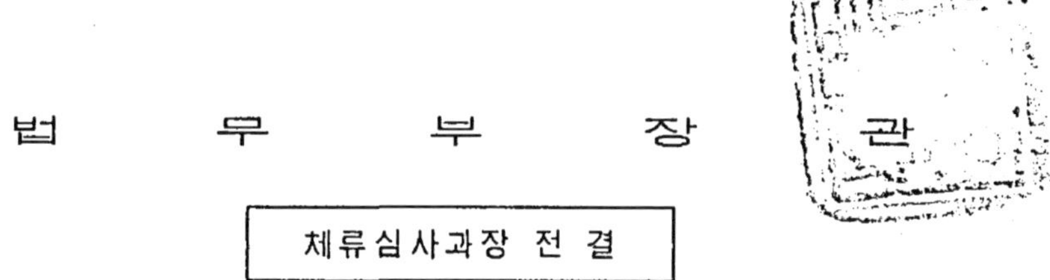

법　무　부　장　관

체류심사과장 전 결

0302

출입국 ~~임시~~분과 위원회 - 한국측

위원장

박 성 복	법무부출입국, 체류심사과장		502-5481

간 사

이 국 명	체 류 심 사 과	사 무 관	503-7101

위 원

김 정 두	외무부영사교민국	여권2과장	720-2344
김 병 준	경찰청보안국	외사2과장	313-0847
정 윤 현	법무부출입국관리국	출입국심사과장	503-7097
신 동 오	상공부통상진흥국	통상정책과장	500-2389
~~조 준 혁~~ 박 재영	외무부 북미2과	사 무 관	720-2324

0303

AD HOC ENTRY AND EXIT SUBCOMMITTEE ROK COMPONENT

CHAIRMAN		TELEPHONE EXCHANGE
PARK, SUNG BOK	Director General. Residence Control Div. Bureau of Immigration Ministry of Justice	502-5481
SECRETARY		
LEE, KUK MYUNG	Residence Control Division Bureau of Immigration Ministry of Justice	503-7101
MEMBERS		
KIM, JUNG DOO	Director, Passport Division II Consular & Overseas Residents Affairs Bureau Ministry of Foreign Affairs	720-2344
KIM, BYUNG JOON	Director, Foreign Affairs Division II. Bureau of Foreign Affairs National Police Headquarters ~~Ministry of Home Affairs~~	313-0848

0304

CHUNG, YOUN HYUN	Director, Exit, Entry Control Division. Bureau of Immigration Ministry of Justice	503-7105
SHIN, DONG OH	Director, Division of Trade Promotion Policy Div. Bureau of International Trade Promotion Ministry of Trade and Industry	500-2389
~~CHO JUNG HYUCK~~ PARK, Jae young	North America Division II American Affairs Bureau Ministry of Foreign Affairs	720-2324

0305

2

상　　　공　　　부

427-760 경기 과천시 중앙동 1번지 / 전화(02)503 - 9445 / 전송(02)503 - 9496, 3142

문서번호 통정 28140 -3445

시행일자 1992. 7.16.

수신　외무부장관

참조　미주국장 (북미2과장)

선결			지시	
접수	일자 시간	92. 7. 20	결재 · 공람	
	번호	26194		
처 리 과				
담 당 자				

제목　SOFA 상무분과위원회 우리측 위원장 변경 통보

SOFA 상무분과위원회 우리측 위원장이 '92.6.26일자로 아래와 같이 변경되었음을 알려드리오니 참고하시기 바랍니다.

- 아　　　래 -

직 책	소　　속	* 변 동 사 항	
		성 명	성 명
위원장	상공부 통상진흥국 통상정책과장	신 동 오	박 영 기

끝.

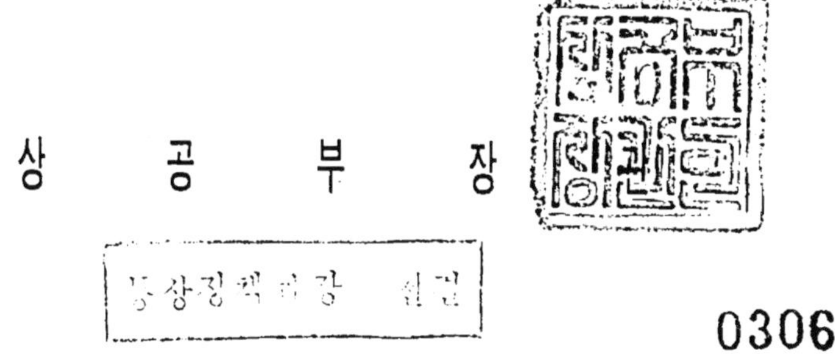

상　　공　　부　　장

통상정책과장　협결

0306

3

녀와나의 통신보안 국가기밀 보호한다

농 림 수 산 부

우 427-760 경기도 과천시 중앙동 1번지 / 전화 (02) 503-7255 / 전송 (02) 503-7249

문서번호 방역 27151-265

시행일자 1992. 07. 23

수신 외무부장관

참조 미주국장

선결			지시		
접	일자 시간	92 · 7 · 24	결재·공람		
수	번호	26943			
처리과					
담당자					

제목 SOFA/식물검역임시분과위원회 한국측 대표명단 제출

우리부의 인사이동으로 SOFA / 식물검역임시분과위원회 우리측 대표를 별첨과 같이 변경하여 명단을 제출하오니 업무에 참고하시기 바랍니다.

첨 부 : SOFA /식물검역임시분과위원회 한국측대표명단 (국. 영문) 각 1부. "끝"

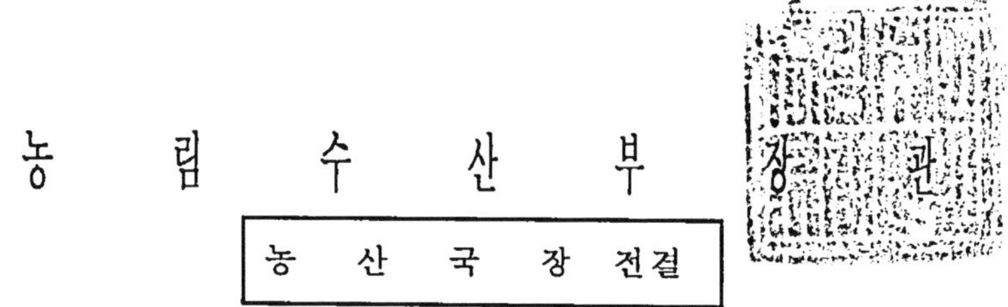

농 림 수 산 부 장 관

농 산 국 장 전결

0307

SOFA/식물검역 임시분과위원회 한국측 대표명단

위 원 장

박 병원	농림수산부 식물방역과장	(02) 503-7255

교체위원장

김 병기	국립식물검역소 국재검역정보과장	(0343)45-1223

간 사

김 희열	국립식물검역소 국재검역정보과 재1주무	(0343)46-1926

위 원

이 상필	농림수산부 식물방역과 검역주무	(02) 503-7255
백 종호	국립식물검역소 조사연구과 곤충주무	(0343)45-1225
여 인홍	" 검 역 과 수입주무	(0343)49-0524
양 규만	" 국재검역정보과	(0343)46-1926
김 진성	" "	(0343)46-1926
심 성섭	" 인천지소장	(032) 72-1540
조○○	외무부 미주○○3 북미2과	(02) 720-2324
		(02) 720-2239

0308

AD HOC SUBCOMMITTEE ON PLANT QUARANTINE

(ROK Component)

Chairman :		
- Mr. Park, Byung Won	Director Plant Protection Div.MAFF	(02) 503-7255
Alternate Chairman :		
- Kim, Byung Kee	Director Int'l Quarantine Information Div. NPQS	(0343)45-1223
Secretary :		
- Mr. Kim, Hee Yeol	Assistant Director Int'l Quarantine Information Div. NPQS	(0343)46-1926
Members :		
- Mr. Lee, Sang Pil	Assistant Director Plant Protection Division MAFF	(02) 503-7255
- Mr. Back, Jong Ho	Assistant Director Investigation & Research Div. NPQS	(0343)45-1225
- Mr. Yeo, In Hong	Assistant Director Quarantine Division NPQS	(0343)49-0524
- Mr. Yang, Kyu Man	Plant Quarantine Officer Int'l Quarantine Information Div. NPQS	(0343)46-1926
- Mr. Kim, Jin-Seong	"	"
- Mr. Shim,Seong Seop	Director Incheon Branch, NPQS	(032)72-1540
- Mr. CHO, June Hyuck	Ministry of Foreign Affairs	(02)720-2324

North America Division II
American Affairs Bureau

0009

SOFA /식물검역 임시분과위원회 한국측 대표명단

위 원 장

홍 인 식	농림수산부 식물방역과장	503-7255

교체위원장

서 기 호	국립식물검역소 국제검역정보과장	(0343)45-1223

간 사

김 희 열	국립식물검역소 국제검역정보과 제1계주무	(0343)46-1926

위 원

이 상 필	농림수산부	식물방역과 검역주무	503-7255
백 종 호	국립식물검역소	조사연구과 곤충주무	(0343)45-1225
여 인 홍	"	검역과 수입주무	(0343)49-0524
양 규 만	"	국제검역정보과	(0434)46-1926
김 진 성	"	"	(0343)46-1926
김 병 기	"	부산지소장	(051)467-0444
	외무부	미주2과	720-2324 720-2239

0310

AD HOC SUBCOMMITTEE ON PLANT QUARANTINE

(ROK Component)

Chairman :

- Mr. Hong In-Shik	Director Plant Protection Div.,MAFF	503-7255

Alternate Chairman :

- Mr. Suh Ki Ho	Director Int'l. Quarantine Information Div. NPQS	(0343)45-1223

Secretary :

- Mr. Kim Hee Yeol	Assistant Director Int'l.Quarantine Information Div. NPQS	(0343)46-1926

Members :

- Mr. Lee Sang Pil	Assistant Director Plant Protection Division MAFF	503-7255
- Mr. Back Jong Ho	Assistant Director Investigation & Research Div. NPQS	(0343)45-1225
- Mr. Yeo In Hong	Assistant Director Quarantine Division NPQS	(0343)49-0524
- Mr. Yang Kyu Man	Plant Quarantine Officer Int'l. Quarantine Information Div. NPQS	(0343)46-1926
- Mr. Kim Jin Seong	"	"
- Mr. Kim Byong Ki	Director Busan Branch, NPQS	(051)467-0444
- Mr.	Ministry of Foreign Affairs North America Division II	720-2324

0311

US-ROK JOINT COMMITTEE - US COMPONENT

COMMITTEE POSITION	DUTY TITLE/POSITION	TELEPHONE EXCHANGE
US REPRESENTATIVE		
Dr. Lt Gen Ronald R. Fogleman United States Air Force	Deputy Commander US Forces Korea	723-5239 YS 784-7001 OS
ALTERNATE REPRESENTATIVE		
Col Peter U. Sutton United States Air Force	Executive Officer to the Deputy Commander	723-5236 YS
DEPUTY REPRESENTATIVES		
COL Dennis F. Coupe United States Army	Judge Advocate	723-6033 YS
COL C.A. DeLateur United States Marine Corps	Chief of Staff US Naval Forces Korea	723-4891 YS
SECRETARY		
Dr. Carroll B. Hodges	Special Assistant to the Deputy Commander US Forces Korea	723-6046 YS 793-0283 SC
ALTERNATE SECRETARY		
Mr. Malcolm H. Perkins	Office of the Special Assistant to the Deputy Commander, US Forces Korea	723-6374 YS
ASSISTANT SECRETARY		
Mr. James T. Burns, Jr.	Office of the Special Assistant to the Deputy Commander, US Forces Korea	723-7718 YS
EMBASSY REPRESENTATIVE		
~~(As appointed by the Ambassador)~~ Mr. E. Mason, Hendrickson	Counselor Ambassy of the United States of America	
INTERPRETER		
Mr. Mun Chae Sik	Office of the Special Assistant to the Deputy Commander, US Forces Korea	723-7719 YS

1

0312

US-ROK JOINT COMMITTEE - ROK COMPONENT

ROK REPRESENTATIVE		Telephone
Mr. Ki-Moon Ban	Director General American Affairs Bureau Ministry of Foreign Affairs	720-2320
ALTERNATE REPRESENTATIVE		
Mr. Soung-Jin Chung	Assistant Minister Office of Legal Affairs Ministry of Justice	503-7006
DEPUTY REPRESENTATIVE		
Mr. Kun-Ho Cho	Director General Customs & Tariff Bureau Ministry of Finance	503-9291
Mr. Myung-Boo Choi	Assistant Minister Prosecution Ministry of Justice	503-7007
Mr. Shi-Pyung Kim	Director General Immigration Bureau Ministry of Justice	503-7010
Mr. Seong-Tae Cho	Director Office of Policy & Plan Ministry of National Defense	795-0071
Mr. Hae-Jong Lee	Director General Installation Bureau Ministry of National Defense	795-0071

0313

Mr.	Sokan Chang	Director General International Trade Promotion Bureau Ministry of Trade & Industry	503-9442
Mr.	Chang-Won Kim	Director General Safety Management Bureau Ministry of Transportation	392-8025
Mr.	Sang-Nam Kim	Director General Labour Policy Bureau Ministry of Labour	504-7338 - 9
Mr.	Chang-Lae Park	Director General Investigation Bureau Korean Customs Administration	512-2005

SECERETARY

Mr.	Ho-Jin Lee	Director North America Divison II Ministry of Foreign Affairs	720-2239,2324

ASSISTANT SECRETARY

Mr.	Jai-Hyon Yoo	Deputy Director North America Divison II Ministry of Foreign Affairs	"
Mr.	Byung-Jae Cho	Assistant Director North Amercia Divison II Ministry of Foreign Affairs	"
Mr.	June-Hyuck Cho	"	"
Mr.	Jin Hur	"	"
Mr.	Chong-Suk Choi	"	"

0314

법 무 부

우 427-760 (경기 과천시 중앙동 1번지) / 전화 (02) 503-7041

문서번호 송심 01225-465
시행일자 1992. 8 . 8 .
수 신 외무부장관
참 조 미주국장

신결			지시	
접수	일자시간	92 · 8 · 10	결재·공람	
	번호	28923		
처리과				
담당자				

제 목 : SOFA 합동위원회 위원 및 민사청구권분과위원회 위원장 변경통보

금번 인사이동으로 한.미주둔군 지위협정(SOFA)합동위원회 위원 및 민사청구권분과위원회 위원장이 다음과 같이 교체되어 통보하오니 업무에 참고하시기 바랍니다

" 다 음 "

위원회명	직 책	변경사항	
		변 경 전	변 경 후
합동위원회	위 원	법무부 법무실 송무심의관	법무부 법무실 송무심의관
민사청구권 합동위원회	위원장	신 광 옥 (Shin,Kwang-Ok)	정 충 수 (Chung,Choong-Soo)

법 무 부 장 관

0315

長 官 報 告 事 項

報 告 畢

1992. 9. 4.
北 美 2 課 (74)

題 目 : SOFA 합동위원회 미측대표 교체

한.미 주둔군지위협정(SOFA) 합동위원회 미측대표가 92. 8. 17자로 교체되었는 바, 관련사항 아래 보고드립니다.

1. 미측 대표 교체

- ㅇ 구임 Ronald R. Fogleman 공군중장은 공군수송사령관으로 전보됨
- ㅇ 신임 Howell M. Estes, III 중장 약력
  - 생년월일 : 1941. 12. 16(텍사스 출생)
  - 학　　력 : 1965년 공군사관학교 졸
  - 경　　력 : . 1979　제20 전술전투비행 대대장
    - . 1987　NATO 사령부 참모장 특별보좌관
    - . 1991　제14 전략비행사령부 작전 참모차장
    - . 1991　공군사령부 기획 작전 참모차장
    - . 1992　주한 미 7공군 사령관

2. 관련 사항 : 동 미측대표는 금 9. 4(금) 당부 미주국장(SOFA 합동위 우리측 대표)을 신임 예방함. 끝.

0316

2

법 무 부

우 : 427-760 경기 과천 중앙 1 / 전화 : (02) 503-7058 / 전송 : (02) 503-7057

문서번호 검사 23129-67
시행일자 1992. 9. 15. (5년)
경유
수신 외무부장관
참조 미주국장

선결			지시		
접수	일자 시간	92. 9. 16	결재·공람		
	번호	32828			
처 리 과					
담 당 자					

제목 SOFA 형사재판권 분과위원회 교체명단 통보

당부 SOFA 형사재판권 분과위원회의 교체된 위원장 및 간사 명단을 별첨과 같이 통보합니다.

첨 부 : 형사재판권 분과위원회 교체명단 1부. 끝.

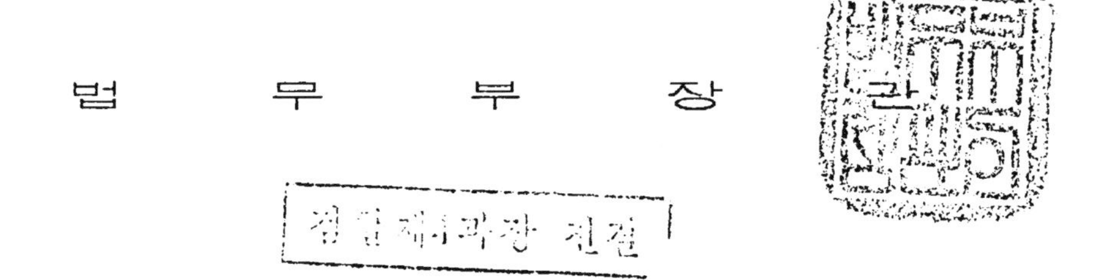

법 무 부 장 관

접 답 재 과 장 전 결

0317

SOFA 형사재판권 분과위원회 교체명단

성 명	직 위		전화번호	비 고
조 창 구 (Cho Chang Koo)	위 원 장	법무부 검찰국 검찰제4과장	503-7060	
서 우 정 (Suh Woo Jung)	간 사	법무부 검찰국 검찰제4과	503-7058	

0318

SOFA 형사재판권 분과위원회 교체명단 (영문)

==

성 명	직 위 (영 문)
조 창 구 (Cho Chang Koo)	Director, Prosecution Division Ⅳ Bureau of Prosecution Ministry of Justice
서 우 정 (Suh Woo Jung)	Prosecutor, Prosecution Division Ⅳ Bureau of Prosecution Ministry of Justice

0319

한.미 합동위원회 - 한국측

대 표		전화번호
정 태 익	외 무 부 미주국장	720-2320 723-3654 (용산)

교체대표		
배 진	외 무 부 미주국 심의관	738-1140

위 원		
박 동 식	경제기획원 물가정책국 물가조정과장	503-9060
강 석 인	재 무 부 관세국 관세협력과장	503-9296
정 충 수	법 무 부 법무실 송무심의관	503-7041
조 창 구	법 무 부 검찰국 검찰제4과장	503-7060
박 성 복	법 무 부 출입국관리국 체류심사과장	503-7102
신 일 순	국 방 부 정책기획관실 대미정책과장	795-7462
노 양 우	국 방 부 시설국 관재과장	765-6331
박 영 기	상 공 부 통산진흥국 통상정책과장	503-9444
송 맹 용	노 동 부 노동정책국 국제협력과장	504-7338
박 영 삼	교 통 부 안전관리국 차량과장	392-9707
안 치 성	관 세 청 심리기획관실 정보담당관	512-1123

간 사		
이 호 진	외 무 부 미주국 북미2과장	720-2324 720-2239 723-3654 (용산)

부 간 사		
조 준 혁	외 무 부 미주국 북미2과	720-2324 720-2239
박 재 영	외 무 부 미주국 북미2과	723-3654 (용산)

0320

형사재판권 분과위원회 - 한국측

위 원 장			전화번호
조 창 규	법 무 부	검찰국 검찰제4과장	503-7060

간 사			
서 우 정	법 무 부	검찰국 검찰제4과	503-7058

위 원			
양 재 택	법 무 부	검찰국 검찰제1과 검사	503-7050
이 순 길	법 무 부	교정국 교정과장	503-7078
박 선 기	국 방 부	법무관리실 법무과장	795-6246
지 성 우	경 찰 청	형사국 형사과장	313-0741
김 병 준	경 찰 청	보안국 외사2과장	313-0847
김 용 진	경 찰 청	방범국 방범기획과장	313-0701
정 운 기	관 세 청	심리기획관실 심리담당관	512-2321
조 준 혁	외 무 부	미주국 북미2과 사무관	720-2324

0321

CRIMINAL JURISDICTION SUBCOMMITTEE - ROK COMPONENT

CHAIRMAN		TELEPHONE EXCHANGE
Mr. CHO Chang Koo	Director, Prosecution Division Ⅳ Bureau of Prosecution Ministry of Justice	503-7060
SECRETARY		
Mr. SUH Woo Jung	Prosecutor, Prosecution Division Ⅳ Bureau of Prosecution Ministry of Justice	503-7058
MEMBERS		
Mr. YANG Jae Tack	Prosecutor, Prosecution Division I Bureau of Prosecution Ministry of Justice	503-7050
Mr. LEE Soon Gil	Director, Penal Admin. Division Bureau of Penal Administration Ministry of Justice	503-7078
Mr. PARK Seon Ki	Director, Claims Division Office of Legal Affairs Ministry of Justice	795-6246
Mr. JEE Seong Woo	Dir., Criminal Investigation Div. I Criminal Investigation Bureau National Police Agency	313-0741
Mr. KIM Byung Joon	Director, Foreign Affairs Division Ⅱ Foreign Affairs Bureau National Police Agency	313-0847
Mr. KIM Young Jin	Director, Public Safety Division Public Safety Brueau National Police Agency	313-0701
Mr. CHUNG Woon Ki	Director, Investiagtion Division Investigation Bureau Office of Customs Administration	512-2321
Mr. CHO June Hyuck	North America Div. Ⅱ American Affairs Bureau Ministry of Foreign Affairs	720-2324 720-2239

0322

반

법 무 부

우 : 427-760 경기 과천 중앙 1 전화 : (02) 503-7102 전송 : (02) 502-5726

문서번호 체류 23630-622
시행일자 1992. 9. 26.
(경유)
수신 외무부장관
참조 미주국장

선결			지시		
접수	일자 시간	92. 9. 30	결재·공람		
	번호	34467			
처리과					
담당자					

제목 SOFA 합동위원회 출입국 분과위원회위원 변경통보

SOFA 합동위원회 출입국 분과위원회 위원이 우리부 공무원 전보로 인하여 아래와 같이 변경되었음을 통보합니다.

○ 후임자 명단

간 사 체류심사과 사무관 구 문 회 (KOO, MOON HOE) 503-7101

○ 전임자 명단

간 사 출입국기획과 사무관 이 국 명 (LEE, KUK MYUNG)

첨 부 : 출입국 분과위원회 명단(영문포함) 1부. 끝.

법 무 부 장

체류심사과장 전결

0323

출입국 분과위원회 - 한국측

위 원 장

박 성 복	법무부출입국 체 류 심 사 과	과 장	502-5481

간 사

구 문 회	체 류 심 사 과	사 무 관	503-7101

위 원

김 영 하	외무부영사교민국	여권2과장	720-2344
유 정 근	경찰청보안국	외사2과장	313-0847
정 윤 현	법무부출입국관리국	출입국심사과장	503-7097
박 영 기	상공부통상진흥국	통상정책과장	500-2389
조 준 혁	외무부 북미2과	사 무 관	720-2324

0324

AD HOC ENTRY AND EXIT COMMITTEE ROK COMPONENT

CHAIRMAN		TELEPHONE EXCHANGE
PARK, SUNG BOK	Director Bureau of immigration Ministry of justice	502-5481

SECRETARY		
KOO, MOON HOE	Residence control Division Bureau of immigration Ministry of justice	503-7101

MEMBERS		
KIM, YOUNG HA	Director, Passport Division II Consular & Overseas Residents Affairs Bureau Ministry of Foreign Affairs	720-2344
YOO, JUNG KHUN	Director, Foreign Affairs Division II Bureau of Foreign Affairs National police Headquarters Ministry of HOME Affairs	313-0848

0325

CHUNG, YOUN HYUN	Director, Exit, Entry Control Division Bureau of Immigration Ministry of Justice	503-7105
PARK, YOUNG KI	Director, Division of Trade Promotion Policy Bureau of International Trade Promotion Ministry of Trade and Industry	503-9444
CHO, JUNE HYUCK	North America Division II Ministry of Foreign Affairs	720-2324

0326

US-ROK JOINT COMMITTEE - US COMPONENT

COMMITTEE POSITION	DUTY TITLE/POSITION	TELEPHONE NO.
US REPRESENTATIVE		
LtGen Howell M. Estes, III United States Air Force	Deputy Commander US Forces Korea	723-5239 YS 784-7001 OS
ALTERNATE REPRESENTATIVE		
Col Ralph S. Saunders United States Air Force	Executive Officer to the Deputy Commander, USFK	723-5236 YS
DEPUTY REPRESENTATIVES		
COL John R. Hamilton United States Army	Judge Advocate US Forces Korea	723-6033 YS
COL John W. Schwab, Jr. United States Marine Corps	Chief of Staff US Naval Forces Korea	723-4891 YS
U.S. SECRETARIAT		
Dr. Carroll B. Hodges	SOFA Secretary & Special Assistant to the Deputy Commander, US Forces Korea	723-6046 YS
Mr. James T. Burns, Jr.	Ofc of the Special Assistant to the Deputy Commander US Forces Korea	723-7718 YS
Mr. Malcolm H. Perkins	Ofc of the Special Assistant to the Deputy Commander US Forces Korea	723-6374 YS
EMBASSY REPRESENTATIVE		
Mr. E. Mason Hendrickson	Political Counselor Embassy of the United States of America	721-4210 YS

0327

1. FACILITIES AND AREAS SUBCOMMITTEE - US COMPONENT

COMMITTEE POSITION	DUTY TITLE/POSITION	TELEPHONE NO.
CHAIRMAN		
COL Michael F. Thuss United States Army	ACofS, Engineer US Forces Korea	723-6385 YS
ALTERNATE CHAIRMAN		
LCDR Gregory L. Maffet United States Navy	Ofc of the ACofS, Engineer US Forces Korea	723-5941 YS
SECRETARY		
Mr. Randall K. Tsuneyoshi	Ofc of the ACofS, Engineer US Forces Korea	723-6122 YS
ASSISTANT SECRETARY		
Mr. KIM Chang Song	Ofc of the ACofS, Engineer US Forces Korea	723-6102 YS
MEMBERS		
Mr. Don A. Timm	Ofc of the Judge Advocate US Forces Korea	723-8740 YS
Mr. James T. Burns, Jr.	Office of the Special Assistant to the Deputy Commander, US Forces Korea	723-7718 YS
MAJ Richard J. Byron United States Army	Ofc of the ACofS, J-4 US Forces Korea	723-8782 YS
Mr. Charles K. Baird	Chief, Real Estate 7th Air Force US Forces Korea	784-2460 OS
OBSERVER		
Mr. Frank J. Manganiello	Supervisory Gen Svcs Ofc American Embassy, Seoul	721-4500 AE

0328

2. CRIMINAL JURISDICTION SUBCOMMITTEE - US COMPONENT

COMMITTEE POSITION	DUTY TITLE/POSITION	TELEPHONE NO.
CHAIRMAN		
COL John R. Hamilton United States Army	Judge Advocate US Forces Korea	723-6033 YS
SECRETARY		
Mr. Hyun S. Kim	Attorney Advisor Ofc of the Judge Advocate US Forces Korea	723-8707 YS
MEMBERS		
COL Robert L. Baldwin United States Army	Provost Marshal US Forces Korea	724-6005 YS
Col Charles R. Myers United States Air Force	Staff Judge Advocate 7th Air Force US Forces Korea	784-2484 OS
Maj Ronald E. Todd United States Air Force	Chief, Int'l Affairs Div Ofc of the Judge Advocate US Forces Korea	723-8707 YS
Mr. James T. Burns, Jr.	Office of the Special Assistant to the Deputy Commander, US Forces Korea	723-7718 YS
Mr. Roger Engebretson	Acquisition Management US Forces Korea	723-5630 YS
OBSERVER		
Mr. E. Mason Hendrickson	Policital Counsular Embassy of the United States of America	721-4210 AE

0329

2. CRIMINAL JURISDICTION (SECURITY & LAW ENFORCEMENT) SUBCOMMITTEE US COMPONENT

COMMITTEE POSITION	DUTY TITLE/POSITION	TELEPHONE NO.
CHAIRMAN		
COL Robert L. Baldwin United States Army	Provost Marshal US Forces Korea	738-4216 YS
SECRETARY		
MAJ Fred A. Buran III United States Air Force	Chief, SOFA Support Div Ofc of the Provost Marshal US Forces Korea	738-5101 YS
MEMBERS		
COL W. Dan Snell United States Army	Commander 7th Region USACIC-Korea	723-6214 YS
LtCol D.H. Pelham United States Air Force	Commander, District 45 Air Force Office of Special Investigations	784-6933 OS
Maj Ronald E. Todd United States Air Force	Chief, Int'l Affairs Div Ofc of the Judge Advocate US Forces Korea	723-8707 YS
Lt Col Gale R. Buchholtz United States Air Force	Chief, Security Police 7th Air Force US Forces Korea	784-6441 OS
Mr. Malcolm H. Perkins	Ofc of the Special Assistant to the Deputy Commander US Forces Korea	723-6374 YS
Maj Joseph P. Wyatt United States Army	Ch, Security, Force Protection & Law Enforcement Div, PMO US Forces Korea	738-6389 YS
CPT Brain S. Banks United States Army	JAG Officer 7th Region USACIC-Korea	723-4568 YS

0330

THIS PAGE LEFT BLANK INTENTIONALLY

THIS PAGE LEFT BLANK INTENTIONALLY

3. CIVIL JURISDICTION (CLAIMS) SUBCOMMITTEE - US COMPONENT

COMMITTEE POSITION	DUTY TITLE/POSITION	TELEPHONE NO.
CHAIRMAN		
Maj Andrew J. Macko United States Army	Chief, US Armed Forces Claims Service, Korea US Forces Korea	738-8058 YS
SECRETARY		
Mr. PAK Pyong Sik	Dpty Ch, Foreign Claims Office, US Armed Forces Claims Svc, Korea US Forces Korea	738-8073 YS 793-9819 SC
MEMBERS		
Maj Ronald E. Todd United States Air Force	Chief, Int'l Affairs Div Ofc of the Judge Advocate US Forces Korea	723-8292 YS
LCDR Bruce E. MacDonald United States Navy	Operational Law Division Ofc of the Judge Advocate US Forces Korea	723-5373 YS
Mr. Howard Trout	Chief, Foreign Claims Div US Armed Forces Claims Svc US Forces Korea	738-8072 YS
Mr. James T. Burns, Jr.	Office of the Special Assistant to the Deputy Commander, US Forces Korea	723-7718 YS
1LT Jinny Chun United States Army	Ch, Mil Claims and Recovery Div, US Armed Forces Claims Svc, Korea US Forces Korea	738-8008 YS

0332

4. LABOR SUBCOMMITTEE - US COMPONENT

COMMITTEE POSITION	DUTY TITLE/POSITION	TELEPHONE NO.
CHAIRMAN		
Mr. James K. MacGregor	Director, Civilian Personnel US Forces Korea	724-6458 YS
SECRETARY		
Mr. Jack Greer	Chief, Labor & Performance Mgnt Div, OCPD US Forces Korea	724-4104 YS
MEMBERS		
Col Edward H. Gossling, III United States Air Force	ACofS, J-1 US Forces Korea	723-6035 YS
COL Thomas E. Elias United States Army	Commander, USA Korea Contracting Agency US Forces Korea	724-3353 YS
Mr. Hyun S. Kim	Attorney Advisor Ofc of the Judge Advocate US Forces Korea	723-8707 YS
Ms. Carrie Scothorn	Civilian Personnel Officer 51st Mission Svcs Spt Sqdn US Forces Korea	784-5887 OS
Mr. Cecil B. Land	Personnel Manager Korea Area Exchange	7217-332 YS
Mr. Malcolm H. Perkins	Ofc of the Special Assistant to the Deputy Commander US Forces Korea	723-6374 YS
OBSERVER		
Mr. Eric R. Kettner	Third Secretary Political Section American Embassy, Seoul	721-4215 AE

0333

5. FINANCE SUBCOMMITTEE - US COMPONENT

COMMITTEE POSITION	DUTY TITLE/POSITION	TELEPHONE NO.
CHARIMAN (Financial Affairs)		
COL Richard K. Rankin United States Army	Commander 175th Theater Finance US Forces Korea	725-3974 YS
CHARIMAN (Per. Affairs)		
Col Edward H. Gossling, III United States Air Force	ACofS, J-1 US Forces Korea	723-6035 YS
SECRETARY (Fin. Affairs)		
MAJ Jim Wilson United States Army	Chief, Finance Policy Div, 175th Theater Finance Command US Forces Korea	725-3201 YS
SECRETARY (Per. Affairs)		
LTC William B. Dixon United States Army	Chief, Pol, Plans & Ops Div ACofS, J-1, US Forces Korea	723-8437 YS
MEMBERS		
COL Donald C. Pavlik United States Army	ACofS, G-1 Eighth US Army	723-6035 YS
Col Michael W. Wooley United States Air Force	Ch, Strat & Pol Div, J-5 US Forces Korea	723-6665 YS
Mr. Eugene Hillmon	Ch, Program Mgmt Br, J-4 US Forces Korea	723-3626 YS
Mr. Hyun S. Kim	Attorney Advisor Ofc of Judge Advocate US Forces Korea	723-8707 YS
Mr. Jack Greer	Chief, Labor & Perfonmance Mgnt Div, OCPD US Forces Korea	724-4104 YS
Mrs. Song H. Zobrist	US Army Korea Contracting Agency, US Forces Korea	724-3330 YS
Mr. Malcolm H. Perkins	Ofc of the Special Assistant to the Deputy Commander US Forces Korea	723-6374 YS
OBSERVER		
Mr. James A. Pierce	First Secretary Political Section American Embassy, Seoul	721-4133 AE

0334

6. COMMERCE SUBCOMMITTEE - US COMPONENT

COMMITTEE POSITION	DUTY TITLE/POSITION	TELEPHONE NO.
CHARIMAN		
Mr. Wayne Hardin	ACofS, Acquisition Mgmt US Forces Korea	723-3221 YS
ALTERNATE CHAIRMAN		
COL Thomas E. Elias United States Army	Commander, US Army Korea Contracting Agency US Forces Korea	724-6953 YS
SECRETARY		
Maj James Mack United States Air Force	Deputy ACofS Acquisition Management US Forces Korea	723-3221 YS
ALTERNATE SECRETARY		
Mr. Roger Engebretson	Office of ACofS Acquisition Management US Forces Korea	723-5630 YS
MEMBERS		
LtCol Robert T. Mounts United States Air Force	Deputy Judge Advocate US Forces Korea	723-6033 YS
Mrs. Karen Stienbeck	A/Dpty Cdr, US Army Corps of Engineers, Far East District	721-7360 YS
Mr. James T. Burns, Jr.	Office of the Special Assistant to the Deputy Commander, US Forces Korea	723-7718 YS
Mr. Harry N. Scott	General Manager Korea Area Exchange	721-7435 YS
Mr. Bert R. Scott, III	DACofS, Engineer 19th Support Command US Forces Korea	723-3489 YS

0335

7. TRANSPORTATION SUBCOMMITTEE - US COMPONENT

COMMITTEE POSITION	DUTY TITLE/POSITION	TELEPHONE NO.
CHARIMAN		
COL Oliver J. Collins United States Army	Ch, Transportation Div ACofS, J-4 US Forces Korea	725-8495 YS
SECRETARY		
Mr. Malcolm H. Perkins	Ofc of the Special Assistant to the Deputy Commander US Forces Korea	723-6374 YS
MEMBERS		
Col Richard S. Hefner United States Air Force	Cdr, 611th Mil Alft Spt Gp Air Mobility Command US Forces Korea	784-4907 OS
COL Johnnie L. Sheppard United States Army	Chief, Aviation Division Eighth US Army US Forces Korea	723-5252 YS
MAJ Martin D. Glassner United States Army	Provost Marshal Yongsan & Areas II US Forces Korea	724-4305 YS
MAJ Baughn d. Barnett United States Army	Ch. Opns Br, Trans Div ACofS, J-4 US Forces Korea	725-8437 YS
Mr. Hyun S. Kim	Attorney Advisor Ofc of the Judge Advocate US Forces Korea	723-8707 YS
Mr. Joe M. Cothron	Director of Education ACofS, J-1 US Forces Korea	723-3764 YS
MAJ Fred A. Buran, III United States Air Force	Chief, SOFA Spt Div Ofc of the Provost Marshal US Forces Korea	738-5101 YS

0336

8. UTILITIES SUBCOMMITTEE - US COMPONENT

COMMITTEE POSITION	DUTY TITLE/POSITION	TELEPHONE NO.
CHARIMAN		
COL Michael F. Thuss United States Air Force	ACofS, Engineer US Forces Korea	723-6292 YS
ALTERNATE CHARIMAN		
Mr. Joseph E. Bain	Chief, Engineering Services Division, ACofS Engineer US Forces Korea	723-5943 YS
SECRETARY		
Mr. John T. Burtch	Engineering Services Division ACofS Engineer US Forces Korea	723-5951 YS
MEMBERS		
Mr. Donald A. Timm	Attorney Advisor Ofc of the Judge Advocate US Forces Korea	723-8740 YS
Mr. James T. Burns, Jr.	Office of the Special Assistant to the Deputy Commander, US Forces Korea	723-7718 YS
LTC Herbert L. McCulloch United States Army	Chief, Contract Operations US Army Korea Contracting Agency, US Forces Korea	724-7518 YS
Dr. James R. Hartman	Chief, Environmental Programs Office, ACofS Engineer, US Forces Korea	723-5049 YS
MAJ Lance S. Carroll United States Army	Chief, Transmission Systems Office, J-6 US Forces Korea	723-5802 YS
LtCol Antonio P. Nofuente United States Air Force	Dir, Eng & Construction 7th Air Force US Forces Korea	784-5745 OS

0337

9. SUBCOMMITTEE ON ENTRY & EXIT SUBCOMMITTEE - US COMPONENT

COMMITTEE POSITION	DUTY TITLE/POSITION	TELEPHONE NO.
CHARIMAN		
Col Edward H. Gossling, III United States Air Force	ACofS, J-1 US Forces Korea	723-6035 YS
SECRETARY		
Mr. Joe M. Cothron	Chief, Education Division Ofc of ACofS, J-1 US Forces Korea	723-3764 YS
MEMBERS		
COL Robert L. Baldwin United States Army	Provost Marshal US Forces Korea	738-6321 YS
LtCol Cheryl Harris United States Air Force	DCS, Personnel 7th Air Force US Forces Korea	784-6109 OS
Mr. Don A. Timm	Attorney Advisor Ofc of the Judge Advocate US Forces Korea	723-8707 YS
Mr. Malcolm H. Perkins	Ofc of the Special Assistant to the Deputy Commander US Forces Korea	723-6374 YS
OBSERVER		
Mr. James A. Pierce	First Secretary Political Section American Embassy, Seoul	721-4133 AE

0338

10. SUBCOMMITTEE ON ILLEGAL TRANSACTIONS IN DUTY FREE GOODS
US COMPONENT

COMMITTEE POSITION	DUTY TITLE/POSITION	TELEPHONE NO.
CHARIMAN		
Col Edward H. Gossling, III United States Air Force	ACofS, J-1 US Forces Korea	723-6035 YS
SECRETARY		
LtCol Harry A. Hopkins United States Air Force	Chief, Data Mgmt Div Office of ACofS, J-1 US Forces Korea	723-7189 YS
MEMBERS		
Maj Ronald E. Todd United States Air Force	Chief, Int'l Affairs Div Ofc of the Judge Advocate US Forces Korea	723-8707 YS
COL Robert L. Baldwin United States Army	Provost Marshal US Forces Korea	738-6321 YS
LTC Joseph R. Edwards United States Army	Deputy Commander Criminal Investigation Div US Forces Korea	723-6394 YS
Mr. Jack Harriman	US Customs Ofc of the ACofS, J-4 US Forces Korea	725-8459 YS
Mr. Malcolm H. Perkins	Ofc of the Special Assistant to the Deputy Commander US Forces Korea	723-6374 YS
MAJ Willie L. Newson United States Army	Director, Theater Army Postal Operations US Forces Korea	724-3003 YS
OBSERVER		
Mr. Paul W. O'Brien	Customs Attache American Embassy	721-4563 AE

0339

11. CIVIL-MILITARY RELATIONS SUBCOMMITTEE (AD HOC) - US COMPONENT

COMMITTEE POSITION	DUTY TITLE/POSITION	TELEPHONE NO.
CHARIMAN		
COL Robert E. Pilnacek United States Army	Public Affairs Officer US Forces Korea	723-4661 YS
SECRETARY		
Mr. George D. Kim	Chief, Community Relations Div, Public Affairs Office US Forces Korea	723-6085 YS
MEMBERS		
COL William D. McGill, III United States Army	Deputy Chief of Staff US Forces Korea	723-5621 YS
Col Robert M. Johnston United States Air Force	Chief of Staff, 7AF US Forces Korea	784-7003 OS
COL H. L. Timboe United States Army	Surgeon US Forces Korea	737-5411 YS
Col Edward H. Gossling, III United States Air Force	ACofS, J-1 US Forces Korea	723-6035 YS
COL John R. Hamilton United States Army	Judge Advocate US Forces Korea	723-6033 YS
COL Robert L. Baldwin United States Army	Provost Marshal US Forces Korea	738-6321 YS
Mr. John A. McReynolds	Ofc of ACofS, J-5 US Forces Korea	723-3045 YS
OBSERVER		
Mr. James A. Pierce	First Secretary Political Section American Embassy	721-4215 AE

0340

12. HUMAN QUARANTINE SUBCOMMITTEE (AD HOC) - US COMPONENT

COMMITTEE POSITION	DUTY TITLE/POSITION	TELEPHONE NO.
CHARIMAN		
Col Edward H. Gossling, III United States Air Force	ACofS, J-1 US Forces Korea	723-6035 YS
SECRETARY		
Mr. Jack Ferguson	Health Program Policy Branch, ACofS, J-1 US Forces Korea	723-7552 YS
MEMBERS		
COL Harold D. Timboe United States Army	Commander 18th Medical Command US Forces Korea	737-5411 YS
Col Djalma A. Braga United States Air Force	Commander, 51st Medical Group 7th Air Force US Forces Korea	784-2001 OS
Col Gary J. Phipps United States Air Force	US TRANSCOM/MAC LNO US Forces Korea	723-5912 YS
Maj Ronald E. Todd United States Air Force	Chief, Int'l Law Div Ofc of the Judge Advocate US Forces Korea	723-8707 YS
Mr. Hyun S. Kim	Attorney Advisor Ofc of the Judge Advocate US Forces Korea	723-7092 YS
Mr. Malcolm H. Perkins	Ofc of the Special Assistant to the Deputy Commander US Forces Korea	723-6374 YS
LCDR Mary Lou Tillotson United States Navy	Cdr, Military Sealift Cmd US Forces Korea	763-3866 PS
OBSERVER		
Mr. Eric R. Kettner	Third Secretary Political Section American Embassy, Seoul	721-4215 AE

0341

13. PLANT DISEASES & INSPECTION SUBCOMMITTEE (AD HOC) - US COMPONENT

COMMITTEE POSITION	DUTY TITLE/POSITION	TELEPHONE NO.
CHARIMAN		
COL Floyd B. Marks, III United States Army	Chief, Mat Spt Div, J-4 US Forces Korea	723-6805 YS
ALTERNATE CHAIRMAN		
COL L. Cliff Lively United States Army	USFK Veterinarian US Forces Korea	738-3338 YS
SECRETARY		
Mr. Malcolm H. Perkins	Ofc of the Special Assistant to the Deputy Commander US Forces Korea	723-6374 YS
MEMBERS		
Mr. Robert D. Macke	Minister Counselor for Agricultural Affairs American Embassy Seoul	721-4540 AE
Mr. Ken Swierzewski	Chief, Troop Suppport Division, 6th Support Center US Forces Korea	768-8215 TG
LTC John B. Smith United States Army	Commander, Far East Commissary District US Forces Korea	738-3433 YS
Mr. Don A. Timm	Attorney Advisor, Office of the Judge Advocate US Forces Korea	723-8707 YS
Capt Gordon Murdock United States Air Force	Commissary Officer Osan Air Base US Forces Korea	784-4403 OS

0342

서 울 지 방 항 공 청

우 157-701 서울 강서구 과해동 274 / 전화 (02) 660-2104 / 전송 (02)665-1532

문서번호 총무 01225-1525

시행일자 1992. 12. 11

(경유)

수신 외무부장관

참조 북미2과장

선결			지시	
접수	일자 시간		결재·공람	
	번호			
처리과				
담당자				

제목 SOFA 교통분과식위원회 위원변경

1. 외무부 미이 01225-54('92. 5. 22) 및 동 168('92. 11. 24)의 관련입니다.

2. 우리청 SOFA 교통분과위원회 위원을 다음과 같이 변경하여 주시기 바랍니다.

○ 당 초

위 원

신 진 우 교통부 서울지방항공청 총무과장 662-0883

MEMBERS

Mr. SHIN JIN WOO DIRECTOR, GENERAL SERVICE DIVISION 662-0883
SEOUL REGIONAL AVIATION OFFICE
MINISTRY OF TRANSPORTATION.

○ 변 경

위 원

김 무 홍 교통부 서울지방항공청 경리과장 660-2115

MEMBERS

Mr. KIM MOO HONG DIRECTOR, ACCOUNTANT DIVISION 660-2115
SEOUL REGIONAL AVIATION OFFICE
MINISTRY OF TRANSPORTATION. 끝.

서 울 지 방 항 공 청 장

0343

노 동 부

우 427-760, 경기 과천 중앙동1번지 / 전화(02)504-7338 / 전송(02)503-9771~2

문서번호 국제 68040-20

시행일자 1993. 1. 19. ( )

수신 외무부장관

참조 북미 2과장

선결			지시		
접수	일자 시간	93.1.21 :	결재·공람		
	번호	02157			
처리과					
담당자					

제목 SOFA 노무분과위원회 관계관 변경사항 통보

SOFA 노무분과위원회 관계관 변경 사항을 아래와 같이 통보합니다.

위원장	이 학 희	(LEE Hak-hee)	노동부	노사정책실 국제협력과장
위 원	송 봉 근	(SONG Bong-keun)	노동부	기획관리실 법무담당관
	고 흥 소	(KO Heung-so)	노동부	근로기준국 근로기준과장
	최 수 길	(CHOI Soo-kil)	노동부	직업훈련국 훈련기획과장
	임 장 웅	(LIM Jang-woong)	경찰청	정보 3과장. 끝.

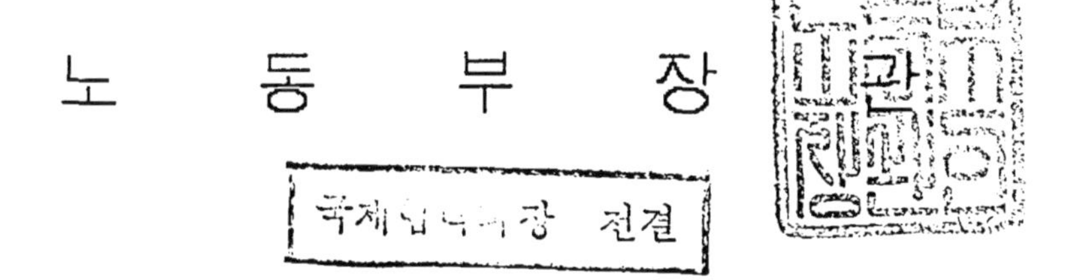

노 동 부 장

국제협력과장 전결

0344

외교문서 비밀해제: 주한미군지위협정(SOFA) 28
주한미군지위협정(SOFA) 한 · 미 합동위원회 5

초판인쇄 2024년 03월 15일
초판발행 2024년 03월 15일

지은이 한국학술정보(주)
펴낸이 채종준
펴낸곳 한국학술정보(주)
주 소 경기도 파주시 회동길 230(문발동)
전 화 031-908-3181(대표)
팩 스 031-908-3189
홈페이지 http://ebook.kstudy.com
E-mail 출판사업부 publish@kstudy.com
등 록 제일산-115호(2000. 6. 19)

ISBN 979-11-7217-039-4 94340
979-11-7217-011-0 94340 (set)